安慰我的畫

41個名畫故事，在人生疲憊時
感受撫慰、得到釋放、汲取力量

禹智賢 著　王品涵 譯

日常　如畫，想要停下腳步的日子

關係

你和我，以及我們

旅行 為了找尋自己，而踏上這條路

人生　無論如何，日子仍在繼續向前

推薦序

藝術作品中的溫暖生命

文化大學心理輔導學系助理教授
台灣師範大學美術系兼任助理教授
江學瀅

多年前，第一次在紐約現代美術館（Museum of Modern Art）看見梵谷的《星夜》（*Starry Night*）真跡時，我感受到一股從作品中散發出來的隱形力量。這股力量首先吸引著觀賞者向前邁步靠近作品，進而仔細觀看時，又有另一股力量從畫面中散發出來，不斷地把觀賞者往外推。在這兩股力量推拉之間，產生了巨大的視覺吸引力，一直從畫中每道具有流動感的線條溢開、從每個角落竄出，讓豐富變化的色彩盈滿莫名的能量。

這份吸引力讓觀賞者駐足更久、更專注地看著作品。漸漸地，力量緩了下來，畫面上的線條隱隱地動了起來，主動引領著觀眾進入這幅畫，感受初夏夜晚的涼意。村裡的人們都回家了，只有觀眾如旅人般在村路上行走，體會這神奇的夜色。這幅作品完成於一八九〇年六月，正是梵谷精神疾病發作、住在聖雷米療養院期間，他是在醫生允許下外出作畫。

梵谷畫中強大的情緒能量，透過獨特的色彩、線條、造型、形式、風格等樣貌，吸引著觀賞者。不同的藝術作品，各有不同的情感表達形式，並不一定都像梵谷般具有強大的情緒吸引力。這些創作者的內在情感，有時是內斂而隱微的、有時則滿溢正向積極的精神，真實反映了創作者的生命樣貌。這些無法言喻的感受，都以藝術的非語言形式，展現在觀賞者面前。

身為觀賞者的我們，時常擔憂自己看畫的先備知識不足，無法從認知的層面理解作品。當我們急著尋找作品說明時，可能會遺忘了作品本身具有的述說力，需要我們用「心」去觀賞。當我們用心走入創作者的心靈世界，也正與其進行著跨越時空的心靈交流；透過觀賞作品而連結起自我的生命閱歷，則帶給我們深刻的情感體驗。而牽動人心的作品，不盡然是藝術評論者筆下的世界名作，也可能只是一幅名不見經傳的小品，但其所觸發的深刻情感，便足以昇華成無言的淚水。

作者禹智賢在《安慰我的畫》這本書中，談論的不只是畫作的背景故事，也分享了許多個人在看畫時同感共鳴的心靈體悟，書中引用的作品雖不完全為一般人耳熟能詳，但每一幅畫在她的感受與體會下，在在皆令人動容，加以譯者王品涵優美的詮釋，相信能讓讀者更真切地體會與個人生命經驗和感受緊密連結的藝術觀賞歷程。

當我們面對每一幅藝術作品時，我們的視角與藝術家創作時的視角幾乎是相同的，無論時空更替，透過藝術連結起來的生命感動與情緒體驗，將帶領我們深刻地了解作品，也更了解自己。

推薦序

繪畫，一份觸目可及的慰藉

作家、節目主持人
謝哲青

畫中，有一名孱弱的女子，孤獨地坐在荒野之上。她回頭凝望，彷彿屋子裡有什麼事情在等著她回應，但是，你隱約可以感覺到，有某種不尋常發生在女子身上。 沒錯，她的確不良於行，幼年時期所罹患的脊髓灰質炎，剝奪了她正常行走的能力，要回到屋內，女子唯一能做的，是伸出雙手，一寸一寸地往回爬……

這幅名為《克里斯蒂娜的世界》（*Christina's World*）的蛋彩畫，是美國新寫實主義畫家安德魯．魏斯（Andrew Wyeth）於一九四八年完成的創作。枯黃的大地、蒼白的天空，魏斯以出色的透視技法，鋪展出虛曠而孤寂的空間氛圍。畫家曾在一次訪談中，深刻地為我們述說他的想法：「克里斯蒂娜的身體雖然受限，但她的精神力量依舊強韌……透過她個人無比意志想征服的，不僅僅只是眼前的乾涸，更是這看似毫無希望的世界……」

看著這幅畫，不由得讓我想到歐洲啟蒙時代的荷蘭偉大哲學家——史賓諾莎（Baruch Spinoza）在《倫理學》中所言：「希望是一種不穩定的快樂，這種快樂源自於我們對未來某件可能不會發生的事情之結果，抱持想像或懷疑的觀念。」依照史賓諾莎的看法，所有的希望都是虛妄，都是建立在不穩定現實之上的樓閣，希望疊得愈高，往上爬的興奮也愈強烈；相對地，當現實發生地震時，也就摔得愈深、傷得愈重。史賓諾莎告訴我們，要降低失望所帶來的傷害，最好的方式，是減少錯誤的期待；更進一步地說，所有的希望、期待都是錯誤，唯有消除希望，才能徹底地「離厄厭苦」，獲得真正的超脫。

回想我們年少時，所有的一切都新鮮，似乎所有的一切也都美好。我們都聽過師長的告誡：世界是殘酷、現實是冰冷，而生活是日復一日的單調無聊……但是，青春無敵，那些柴米油鹽還很遙遠，這些德慙涼薄也不存在，我們唯一擁有的，是塗抹在心中，對未來無盡的想像。

漸漸地，我們發現，大人世界的海洋，比學生時代的游泳池更加洶湧、也更加危險，我們收起張揚的羽翼，板起臉孔，學會在人群中隱藏自己……因為我們知道，太過強烈的自己，可能為身邊的人帶來困擾。「長大成人」，在某個程度上可以理解成學會壓抑、削弱自己的感情；對遠大未來的希望，是風中搖曳的燭火，是現實祭壇上的犧牲。有些人甚至關閉自己所有的感知，不去想、也不去感受，認真地告訴自己：希望是海市蜃樓的幻覺、是天真無邪的幼稚。

「這世界是美好的所在，值得我們為它奮戰。」（The world is a fine place and

worth fighting for.）海明威在小說《戰地鐘聲》（*For Whom the Bell Tolls*）裡寫下這個擲地有聲的句子。我想，魏斯只同意海明威所言的後半部！當我們貶低希望的同時，也失去一個值得憧憬的未來，失去義無反顧的動力。

透過《克里斯蒂娜的世界》，我們重拾對未來小小的心動，每一種可能的累積與實現，正是引領著我們通往幸福的青鳥。即使掙扎求生，也不能放棄希望。

這正是藝術帶給我們的療癒，一份觸目可及的慰藉。這也是作者禹智賢在《安慰我的畫》一書中所傳遞的感動——從日常生活的角度出發，透過細緻親密的文字敘事，讓我們重新與「美」相遇，從而在發現陌生自我的藝術旅程中，學習如何與世界和平共處。

推薦序

走進畫中紓憂解惑

青田七六文化長

水瓶子

看畫展欣賞西洋美術作品，最常見的說法就是要了解希臘神話、基督宗教、但丁的《神曲》，並熟知歷史事件，才能看得透徹一幅畫背後的意義。這樣說起來，若要欣賞繪畫，真的非得學富五車，根本不是釋放壓力，而是增加煩惱。

經常聽到很多人會說：「一定要加油喔！」讓我們在繁忙的工作與生活中承受更大壓力，此類適得其反的想法所在多有。到底去博物館、美術館欣賞藝術展覽，可不可以增加美學鑑賞能力，開拓更美好的人生？到底人與人難解的關係，是否真能在繪畫中尋求答案？

西方自工業革命後，鐵道的鋪設使人類藉由火車得以快速移動，繪畫上隨之而來的改革，就是描繪的主角從天上的神祇、宗教的聖人，改變為平民百姓。畫家更把畫架揹在身上，搭著火車到處取材寫生，田園風景畫於是興起。與保守學院派對抗的印象派畫家們，不只讓光影躍上了畫布，在現代化交通工具、建築與設施之外，畫作背後所刻劃的，更是工業革命後人與人之間的緊迫感。

讀完這本書，會讓你大為紓緩，原來欣賞印象派之後的作品，竟是如此地療癒。作者先是分析人生中面臨的低潮情緒，例如：孤寂、憂傷、疏離、等待、渴望等，並具體描述一幅畫的情境，帶入藝術家生活的背景、或是旁徵博引當代大師的名言，默默把眾多的資訊無痛地置入讀者腦中。或許這些大師的名字並非重點，重要的是這些話語和繪畫，是否能帶給我們某種啟發，讓我們的人生有所體悟與收穫。

在書中，我最喜歡的畫作是猶太裔畫家夏卡爾的《艾菲爾鐵塔的新婚夫妻》。或許您還不太瞭解這位畫家，對猶太人來說，日落是一天的開始，婚禮往往是此時才進行，而新人則在宛如帳篷的「華蓋」內，接受大家的祝福。在夏卡爾的畫中，充滿了童年的記憶、傳統的禮俗，最令人印象深刻的是每個人都輕飄飄地飛了起來，這樣恆久的愛，一眼就能看出。

以前的人們，往往透過宗教信仰尋求慰藉，到教堂去看聖畫，並由神職人員解說，以暫時尋得心靈的解脫。後來，藝術的普及讓人人都得以欣賞，無須在神話故事、宗教教義上打轉。而這本書的詮釋，進一步開拓了藝術欣賞的視野，在人生打結的時刻，若能透過畫作以第三者的不同角度進行思索，說不定就能因此解開煩惱與疑惑。

藝術可以不需要那麼嚴肅、專業，只要讓人看得開、放寬心，就有它的價值。請翻開這本書，放鬆、自在地讓畫裡的世界，走入您的心中。

Prologue

與自己面對面的時光，看看畫

在我們的一生中，要承受難以數計的各種苦痛。為了活得無愧於心，為了成為好人，為了看起來強悍，為了得到更多的愛……忍了又忍、捱了又捱，咬牙撐過每一天。面對著看不見盡頭的試煉過程，無論如何都必須為了保護自己，拚命掙扎。

如同世事在冥冥中自有安排，我們總是得面對不幸一口氣襲捲而來的時刻，偶爾忘卻自己為何而活、根本不曉得該怎麼走下去的時刻，不知還會遭遇多少傷心事、一切安慰的話語再也起不了作用的時刻……在這些時候，我會選擇投入畫裡。

世界讓眼淚聚集，而畫作讓眼淚墜落。每當想要逃離世界，我會選擇凝視畫作，以度過這段時間。既然再難過都得承受，看畫便成了我慰藉自己的方式。畫，溫暖地撫慰了總是感到厭煩、疲憊的心；每次看著畫，都能從中獲得新的力量。蘊藏著許多故事的畫作，開闊了你我對世界的理解；引發共鳴的畫中情境，為你我的心注入一股暖流。

畫作不會告訴我們任何答案或提供解決的對策，它只會提問：「你覺得呢？」「此刻你心裡在想什麼？」畫作拋出的問題，讓我們不得不去尋覓答案。藉由這些過程，我們得以全然地面對深藏心底的傷痛，體會跨越傷痛的出路，領悟與傷痛共存的方法；即使傷痛永遠無法消失，至少也能學會讓它伴隨自己前行。

看畫，是發現內在的自己。畫，發掘了內心深處，帶著我們前往過去難以抵達的陌生境地。所謂的「看畫」，是令人恐懼又喜悅的冥想時刻，是窺視內在世界的深呼吸，也是面對內隱自我的過程。聚精會神地凝視畫作，讓我們傾聽內心的聲音，開啟透析別人與自我的內在慧眼；最終，敲醒僵化的生活，逐漸引領我們邁向隨心所欲的人生。

本書雖以客觀事實為敘述背景，內容卻極其主觀。閱讀前，不需具備任何相關知識或學問，只要此刻感到難過、孤單、需要慰藉，便可以走進畫中的世界。畫，不是學習，而是理解；不是分析，而是感受。繪畫的根本角色，是讓人感悟生命仍有值得延續的價值。看畫，能啟發你我對那些無甚意義、不確定卻既存的事物產生想像空間。如果藉由這樣的思考過程，能喚醒面對人生的喜樂，對我們而言豈不是獲益良多？

我不敢妄言自己能對任何人發揮慰藉的作用，然而，我們的相同之處、我們毫無差異的部分、所有人都必須各自承受傷痛而活著的事實，才是我真正想傳達的訊息。此外，我也想告訴大家，畫作是能帶領你我面對傷痛的方法之一。一如畫作撫慰了我，我只希望透過書中介紹的畫作，也能帶給任何人一點小小的慰藉。

這本書能夠順利面世，需要感謝太多、太多曾經給予幫助的人。首先，誠摯感謝事事費心、盡力協助一切事務的 ENTERS KOREA 代表理事 James Yang 和組長朴寶英；感謝 Chek Poong 出版社毫不猶豫採納、信任筆者企劃案的代表理事李希哲，以及細心修潤稿件的編輯部次長趙日東。真心感謝始終鼓勵與支持不完美的我的朋友、同事、前輩、家人，以及一輩子愛護、相信、陪伴我的父母，並向你們致上最高的敬意。最後，謹將本書獻給所有需要慰藉的人們。

日常

如畫，想要停下腳步的日子

幸福，就在微不足道的小事中。期待終將到來的至福，而非執著於總會離去的不幸。
今天，即能感受「當下」的幸福；活著，不就是真正幸福的人生嗎？

在畫裡，
學會與悲傷共存

看畫的人有各式各樣的理由，而我主要是為了得到撫慰。
我甚至會選擇非常悲傷的畫，希望與畫中人物的哀戚產生共鳴，
然後自我勸勉，從中得到慰藉。

人生在世，都可能陷入難熬的低谷

獨自走在空蕩的深夜街頭，放眼望去，盡是大門緊閉的商店。霎時，雨水滴滴答答墜落，眼前漸漸霧成一片。氣喘吁吁的呼吸聲和緊促的心跳聲，圍繞著我；我彷似無頭蒼蠅般奔跑著，突然停下了腳步。這時，我才懂了：孤獨，是緊閉的心；心，是湧升的悲傷；悲傷，是眼淚。

人生在世，任誰都可能遭遇痛不欲生的時刻：被這牽絆、被那罣礙，最終自然一事無成，愛情、工作、朋友、家庭……通通不盡人意，壞事彷彿看準了時機，一口氣接踵而來。像瑞士視覺藝術家費迪南・霍德勒（Ferdinand Hodler）的《厭倦人生》（*Tired of Life*）一樣，掙扎於煎熬的生活，再也挺不起疲憊身軀；像荷蘭畫家文森・梵谷（Vincent van Gogh）的《憂傷》（*Sorrow*）一樣，深陷人生低谷，卻被不得不繼續活下去的

痛苦壓得肩膀瑟縮；像法國畫家艾德嘉・竇加（Edgar Degas）的《等待》（*Waiting*）一樣，再怎麼等待、忍耐，生活仍舊無止盡地重複⋯⋯讓人絕望不已。這些時候，我們總是苦苦掙扎，窮盡辦法只為擺脫一切。

不久前，我打了通電話給從小同甘共苦的莫逆之交，通常只要一個眼神或聲音，我們就能知曉彼此的想法或情緒。我想聽見新婚的她幸福洋溢的聲音而撥了電話，期待沉浸愛河中的她能讓自己的心情好過一些⋯⋯

「妳在哪裡？在幹嘛？」「喔，我在百貨公司，想來買幾件內衣⋯⋯」聽見她緩慢地吐露出「買幾件內衣」的瞬間，我有種「啊，一定出了什麼事」的感覺。

一般來說，剛結婚的新娘買漂亮內衣是再尋常不過的事，但她卻是每逢不順心就會採購許多內衣的人。在我腦海中浮現她說過的話——「看一看、摸一摸漂亮的內衣，然後穿上，就像是一份安定情緒的禮物。」

這是她撫慰自己心靈的方式；而當我需要安慰時，我會看畫。

看畫的人有各式各樣的理由，而我主要是為了得到撫慰。發生難過的事時，我喜歡聽悲傷的音樂、看悲傷的電影，藉機痛快地大哭一場，然後感到通體舒暢。看畫時，我甚至會選擇非常悲傷的畫，希望與畫中人物的哀戚產生共鳴，然後自我勸勉，從中得到慰藉。

維連·哈莫修依——以極簡線條呈現虛無心靈

我靜靜地坐在房裡，一頁接著一頁翻閱畫冊。在看到丹麥象徵主義畫家維連·哈莫修依（Vilhelm Hammershøi, 1864-1916）的《臥室》（*Bedroom*）這幅畫時，我停頓了下來，凝望著畫中臥室裡的女人好一會兒。

梳著俐落髮型、穿著淡雅黑禮服的女人站在窗前，看起來寧靜而孤獨，漫溢著朦朧的神祕感，整理好的床鋪硬挺挺地佇立在她兩側。也許因為還是尚未破曉的清晨時分，偌大的窗邊並未繪出任何光暈。女人的視線望向下方而非前方，她正看著什麼？在想些什麼呢？雖然只看見背影，但是髮型、穿著以及身體的剪影，早已充分透露出她的悲傷。

無聲勝有聲，背影也是如此。只能靠別人的雙眼觀察到的背影，或許就像我們永遠難以看見、也無從面對的悲傷內心。看著她的背影，才讓人恍然大悟，原來這份悲傷，極其安靜、無聲無息地鑲嵌在每個人的生命中。從女人身上可以感受到內心的渾沌掙扎，這樣的表現非常詩意，壓抑的情緒反讓人更強烈地意識到她的難過。相較於全盤呈現，隱藏更能激發好奇與想像。彷彿凍結且難以捉摸的憂傷，牽引出更深層的共鳴。

我頓時憶起法國文學巨匠米歇爾·圖尼埃（Michel Tournier）在攝影散文集《背影》（*Vues de dos*）中所寫的一段文字——「不知為何，背影的孱弱，反而更具衝擊力；簡潔，反而更具說服力。背影會說話，哪怕只看見一半或四分之一，也能聽見鏗鏘有力的話語……」

《臥室》，1890／維連．哈莫修依
布面油畫，73×58cm，私人收藏

哈莫修依的畫風與心靈真正走向虛無，並開始以空房間做為畫作場景，是從他遷居至丹麥的哥本哈根之後。他與同行畫家的妹妹伊妲結婚，兩人自巴黎蜜月旅行歸來，哈莫修依便如火如荼地尋覓落腳處。他想找一間瀰漫老舊、古典氣息的房子，於是刻意前往發展程度偏低的舊城區。一心想找到理想中住所的他，甚至拒絕接受設有沖水馬桶的屋子。好不容易覓得合意的公寓，他還親手將牆壁、地板漆成灰白色與深褐色，而且只在家中放了沙發、桌子、一架鋼琴等幾樣極簡化的家具。

將住家視為工作室的哈莫修依，會為了作畫隨時改變家具的擺設配置，甚至還會依此決定妻子所站的位置。《臥室》這幅畫中的女人，就是他的妻子；妻子和家，也成為哈莫修依作品的主要取材。

「線條」是哈莫修依畫作最主要的重點。談及「線條」時，他曾說道：「我選擇『線條』成為自己畫作的主題，並將其視為構建圖像的要素，緊接著則是『光』。我並非不重視『色彩』，甚至會努力地想要呈現色彩的協調性。然而，若非得從中擇一時，我終究會選擇『線條』。」

除了《臥室》，在哈莫修依絕大多數的作品中，都可見到將線條以水平與垂直並列表現的手法。例如在他的代表作《室內，一八九八》（*Interior, 1898*）中，覆蓋著桌子的白色桌布，與擺放於後方的黑色梳妝台，兩者互相對稱；而直向垂落的窗簾，平衡了整幅畫作。另外，完成於一九〇八年的《室內》（*Interior*），在充滿十八世紀荷蘭風情的屋內，妻子坐在椅上的背影，則藉由反覆描繪的直線與橫線，呈現空間的透視感。

憂傷的背影，渴望的或許只是心有靈犀

評論家們一再以哈莫修依的畫作隱晦不明為抨擊理由，使他屢遭策展單位拒絕，隨後他即因不受丹麥藝術界認同，漸漸被世界所遺忘。然而，自一九八〇年代起舉辦的巡迴展覽，又讓哈莫修依重新引發了大眾的關注。其中的特出之例包括：英國演員麥可・帕林（Michael Palin）收藏了他的畫，並讚美其「巧妙融合了愛德華・霍普（Edward Hopper）與揚・維梅爾（Jan Vermeer）的絕妙之處」；德國詩人萊納・瑪利亞・里爾克（Rainer Maria Rilke）也曾表示，「他的作品擁有深長而緩慢的呼吸。當人們總算讀懂他的畫作時，便能從畫中激發『藝術的重要性與本質為何』的思維」。差點因畫作模糊不清的氛圍，而遭遺忘並消失的畫家哈莫修依，終於再度受到世人矚目，重拾應有的聲望。

在哈莫修依的《臥室》中，臥室與其被視為日常且私人的休息居所，似乎更像是密閉、隔絕而孤單的空間。盤旋整幅畫中的灰色調與平靜的淡彩，即用以呈現內心世界的傷悲；如果靜靜地窺探瀰漫沉默氣氛的這個空間，便能體會躍然於畫布之上的空虛感受。

臥室裡的女人自始至終凝望的，是唯一能與世界貫通的窗戶。不知怎麼地，我總覺得她真正需要的，或許是與某個人看似微不足道的心有靈犀吧？我再次想起一幅畫能帶來的慰藉力量⋯⋯今天的我，也在心中描繪著臥室裡的她。我深吸一口氣，然後吐出。

無論悲喜，下個清晨總會降臨

無論身在何方，總會迎來清晨；無論是誰，終究要面臨清晨。
不要忘記，明天的太陽自會升起，
我們能做的只有學會鼓舞自己，每天盡力而為。

流轉奔波中，皺紋越來越多、心越來越累

近午的早晨，電話鈴聲響了起來。

「是我……現在可以見個面嗎？」

「現在不是上班時間嗎？」

「我剛剛辭職了。」

「什麼？為什麼突然……？」

「妳來我家一下。」

鐵定是發生什麼事了。我匆忙處理好手邊的外務，抵達她家時，只見她獨自呆坐在關著燈的漆黑房間裡。垂墜的雙肩之間瀰漫著濃郁的惆悵；若有所思的雙眼，沒有定向地游移著。她嘲弄著自己的脆弱，只是空洞地笑著，彷似要斬斷所有念頭的苦澀乾笑。

我擔心地趕緊詢問：「到底發生什麼事了？」嘴裡說著「沒事」的她，看起來卻很「有事」。

即便接受過權威業界雜誌專訪，堪稱是知名室內設計師的她，同樣背負著生活的重擔。曾經深信只要努力工作，終將迎來夢想中的生活，卻只有持續的痛苦日復一日襲來；比誰都更用心、事事盡求完美，時間卻大幅改變了一切——皺紋越來越多，心越來越累。唯一不變的只有未曾間斷的改變，最後甚至渾然不覺變化的存在，只是任憑時間流逝。

房內四處散落著她為了失眠與胃食道逆流所服用的安眠藥與各式藥包。為了見客戶，她總是踩著高跟鞋東奔西跑，以致於腳上滿是傷口，一道道都像是雙腳發出的哀號⋯⋯心疼的我皺緊了眉頭。

此刻我總算明白，平常有意無意間抱怨生活辛苦的她，根本不是承受著甜蜜的負荷、或只是無病呻吟。此時什麼也做不了的她，看起來無比狼狽，長長地嘆了一口氣。苦澀而落寞的心情，甚至滲進了我的胸口，感覺好痛⋯⋯

被人抓住了肩膀使勁搖晃，漫無目的地熬過一天又一天後，偶爾也會憐憫起那個悶悶不樂、含辛茹苦的自己。苦撐著隨時都像會死於窒息或遭到輾斃的每一天，始終發不出任何反抗的聲音，卻得孤軍奮戰地面對無力抵擋的人事物。

厭倦了「有空一起吃飯」的場面話，那不過是幾年都見不到一次面的人所捎來的客套訊息。總是沒來由地心生煩躁、湧起反胃的感覺；因為無法理清內心紛亂，終日掛著什麼都看不順眼的表情過活。有時甚至不知道「為何而活？」、遺忘了「該怎麼度日？」然而，最令人絕望的是，自己總有一種預感、或者說確信——就算到了明天、後天，也不會比現在更好，全然不會有任何改變。

有些清晨，就跟黑夜一樣。有些日子，一點也不期待清晨到來。甚至有些時候，恐懼於清晨的降臨。而那一天，她所迎接的清晨，就有如愛德華．霍普的畫。

愛德華．霍普——細膩刻劃現代人的疏離與孤寂

美國寫實主義畫家愛德華．霍普（Edward Hopper, 1882-1967）格外喜歡描繪清晨的景色。最先讓人想起的作品，就是在空無一人的巷弄裡，僅有陽光虛無灑落的《週日清晨》（*Early Sunday Morning*），以及《城中清晨》（*Morning in a City*）裡，沐浴後以枯燥、乏味神情展開一天生活的裸女。《晨陽》（*Morning Sun*）則描繪一名坐在床上迎接清晨的孤獨女子，這不只是霍普最著名的作品，也是電影《13個雪莉——現實的幻象》（*Shirley: Visions of Reality*）的故事背景，電影海報即是以此畫為藍本而設計。

一九二六年完成的《上午十一時》（*Eleven A.M.*），則是以淡然的筆觸傳神呈現現代人眼中死氣沉沉的清晨。在這幅畫裡，有一個坐在藍沙發上

凝視窗外的女人。我們無從得知她究竟在看些什麼，只知道女人的眼神正望向畫面以外的某處。掛在牆上的相框和古色古香的抽屜櫃，給人厚重感覺的桌燈和復古的木椅，紅桌上散落著兩本隨意放置的書籍，而且從窗外的建築外觀推斷，此處應是住宅公寓，而非飯店。

米色外套隨手掛在女人右邊的椅子上，從稍微燙過的捲髮和穿在腳上的黑皮鞋看來，此刻的她應是捨棄了該上班的時間，一屁股坐進了沙發。既然畫作取名為已來不及上班的《上午十一時》，想必這些都是正確的推測。是什麼讓她呆坐在沙發呢？

陽光拉長了影子。光線越是襲捲而來，越是擴大內心的紊亂。晨曦悠悠映照，女人卻被不可言喻的徹底孤獨所纏繞。在接近真空狀態的靜謐中沉思，危險得彷似只要輕碰她一下，就會瞬間粉碎一地。即使散落的頭髮讓人看不清她的表情，從那孤單、寂寞的眼神中，也能隱約察覺到她厭煩都市生活的空蕩內心。身邊沒有任何人的空虛感，世界好像只剩自己一般，女人的模樣，淒涼至極。極度悲慘的孤寂、內在翻騰的心境，畫面停留在完整呈現情緒的剎那。比起渺茫的深夜，更是黑暗的清晨。

霍普筆下的清晨景色，描繪著所有現代人都曾經歷的孤獨。面無表情的臉龐、沒有焦點的眼神，畫裡早已習慣空虛生活的女人，與現實中的你我極其相似。霍普的安定人生看似毫無曲折，但從他如此細膩地刻劃現代人疏離寂寥的內在，似乎也能推敲出他不安定的內心世界。

《上午十一時》，1926／愛德華・霍普
布面油畫，71.3×91.6cm
美國華盛頓赫希洪博物館與雕刻公園（Hirshhorn Museum and Sculpture Garden）

霍普曾如此談論自己的畫作：「我並不打算描繪社會的面貌，我僅僅是想描繪自己罷了。」不以社會觀察者的角度，而是以畫中人物的視角來作畫，就是如此才讓畫作更貼近真實，也更能引起眾人的共鳴吧。

希望，就是某種層面的等待清晨降臨

霍普的畫往往存在著雙重性。畫中的女人雖活著、呼吸著，時間卻像靜止一般；溫煦的朝日，透露著冰冷的感受；耀眼的晨曦，卻一點也不明亮。一如這世界不會永遠冰冷或溫暖，也不會永遠漆黑或光明。即使身處同樣的空間，女人卻像是脫離了背景而活，宛如被隔絕於世界；以窗戶分隔室內與室外，如同內在自我與社會化自我的隔閡。恰如英國作家艾倫・狄波頓（Alain de Botton）在〈走訪動物園〉（*On Going to the Zoo*）文中所述：「愛德華・霍普的畫雖然悲傷，卻不會讓我們變得悲傷。」即使霍普描繪出現代人內心的悲戚，反而能因此帶給我們力量與慰藉。

任誰也無法保證明天清晨會發生什麼事。又見清晨，清晨總是充滿著磨難。不要忘記，明天的太陽自會升起，我們能做的只有學會鼓舞自己，每天盡力而為。美國詩人亨利・朗費羅（Henry Longfellow）說過：「希望，其實就是某種層面的等待清晨降臨。」無論是陽光燦爛的清晨、朦朧欲曉的清晨、鬱鬱寡歡的清晨……永遠不會有清晨不再來臨的日子。無論身在何方，總會迎來清晨；無論是誰，終究要面臨清晨。

知道這個事實之後，或許，我們會願意繼續支撐著自己走下去。

長伴左右，心靈的秘密基地

無論什麼樣的音樂都擁有獨特療效，通通擺進藥局販賣似乎也不為過。
有些歌曲，彷似一縷燭光在漆黑的夜晚撫慰人心；
有些音樂，適合在人生低潮之際反覆聆聽。

畫裡傳來的悅耳琴聲，讓人心醉神迷

和煦陽光普照的午後，我隨性地在鋼琴椅上坐下。滿身瘡痍的舊鋼琴，卻承載著我滿滿的珍貴回憶。撣了撣鋪滿灰塵的樂譜，我輕柔地擺動起手指。有些琴鍵無論多用力敲擊，仍然沉默以對；有些琴鍵則索性完全陷落，毫不打算回復原位。雖然費了一番力氣，才能邊看著樂譜一邊蹩腳地彈奏，依然覺得能夠奏出和弦的手指很是神奇。

一個指令一個動作地跟隨樂譜彈奏，不知不覺間，內心的不協調也漸漸沉澱，美妙的旋律縈繞著空蕩蕩的心。一如鋼琴家雷納德．伯恩斯坦（Leonard Bernstein）所言：「音樂，替無從命名的事物命名，甚而傳達不可言喻的一切。」連自己都不知該如何定義的情緒，音樂卻像早已通曉般，要我「別擔心」。

鋼琴，是印象派畫家十分喜愛的素材。法國畫家古斯塔夫・卡耶博特（Gustave Caillebotte）在《鋼琴課》（*The Piano Lesson*）中，呈現兩名女子並坐演奏鋼琴的畫面；愛德華・馬內（Édouard Manet）以《彈鋼琴的馬內夫人》（*Madame Manet at the Piano*）描繪曾是自己鋼琴老師的妻子蘇珊娜・里郝夫；還有皮耶—奧古斯特・雷諾瓦（Pierre-Auguste Renoir）筆下無數與鋼琴相關的作品，如《彈鋼琴的女子》（*Woman at the Piano*）、《彈鋼琴的少女》（*Young Girls at the Piano*）、《彈鋼琴的伊凡娜與克莉絲汀・勒侯羅》（*Yvonne and Christine Lerolle at the piano*）。梵谷也在自殺那一年畫下了《瑪格麗特・嘉舍彈鋼琴》（*Marguerite Gachet at the Piano*）。

《奏鳴曲》——光與色在韻律中相擁起舞

以鋼琴為主題的畫作多不勝數，而其中又屬美國畫家柴爾德・哈薩姆（Frederick Childe Hassam, 1859-1935）的《奏鳴曲》（*The Sonata*），所表現的情感最為豐富。這幅畫繪於哈薩姆留學巴黎返國後、埋首創作印象派作品時期，巧妙呈現時刻變幻的光影瞬間。

暖洋洋陽光灑落的窗邊，倚著一架偌大的黑色鋼琴。身著白洋裝的女子坐在鋼琴椅上起手演奏，悠揚琴聲環繞房間的每一個角落。置於鋼琴上的透明花瓶晶瑩剔透；瓶裡的花朵也愉悅地欣賞著演奏。此時，窗簾隨著窗外吹進的涼風搖曳，女子的裙襬也乘風舞動。遠處隱約的鳥鳴與沙沙作響的樹葉聲，彷彿搭配著女子的琴聲，正展開一場管弦樂演奏。結合光與色的韻律，栩栩如生地構建出繽紛、浪漫的畫面。

《奏鳴曲》，1911／柴爾德．哈薩姆
布面油畫，69.6×69.6cm，美國休士頓美術館（The Museum of Fine Arts, Houston）

留法時深深為印象主義著迷的哈薩姆，將其與美國的寫實主義結合，形塑成自己獨有的畫風。這種風格並逐漸發展成美國傳統的印象主義，而後他也與志同道合之士組建「十人畫會」（The Ten American Painters）團體。哈薩姆與威廉・馬里特・切斯（William Merritt Chase）、艾德蒙・查爾斯・塔貝爾（Edmund Charles Tarbell）、湯瑪斯・杜因（Thomas Dewing）等人在紐約盧埃爾畫廊舉辦首場成員聯展，並藉此結緣，開啟隨後二十餘年互相扶持、推廣美式印象主義發展的歲月。

一如他樂於被稱為「光與空氣的畫家」，哈薩姆極為重視環繞於空氣中的光線。細看他筆下光線與色彩的柔美律動，耳邊彷彿也響起悠揚的鋼琴旋律。

哈薩姆憑藉著漫溢律動感筆觸的作品，在十九世紀紅極一時，不但獲得普羅大眾的喜愛，銷量也屢創佳績。他的畫作至今仍是世界最大藝術品拍賣會蘇富比和克里思蒂賣得最好的作品之一，成交價甚至創下美國繪畫第三高的紀錄。

哈薩姆的作品深受許多知名人士喜愛。美國前任總統歐巴馬的白宮辦公室裡，就掛著哈薩姆的《雨中大道》（*The Avenue in the Rain*），畫中描繪第一次世界大戰時，市民要求堅持孤立主義的美國政府參戰，而聚集在紐約第五大道的情景。瓶內黃花散發著耀眼光芒的《繁花之房》（*The Room of Flowers*），也因為被企業家比爾・蓋茲以兩千萬美元買下而引發熱議。

音樂與美術，有著彼此影響的力量

從古至今，音樂與美術即擁有彼此影響的力量。有藉由繪畫反映音樂的畫家，也有因繪畫誘發作曲靈感的音樂家。

對法國畫家勞爾・杜菲（Raoul Dufy）而言，音樂是洋溢感性的媒介，或許正因如此，在他的作品中屢屢能見到小提琴、鋼琴等樂器，也常出現管弦樂團、音樂會、演奏家等與音樂息息相關的場景、角色。杜菲原本就很喜歡巴哈、莫札特和德布西，我們也不難從他獻給莫札特的《向莫札特致敬》（*Homage to Mozart*）、描繪德布西樂譜的《向德布西致敬》（*Homage to Claude Debussy*）等作品中，感受躍然於畫布之上的輕快節奏。

抽象藝術的始祖、俄國作曲家瓦西里・康丁斯基（Wassily Kandinsky），也秉持「以色彩譜寫樂曲和聲」的理念，藉由畫筆呈現音樂。他在一九一二年出版的著作《藝術的精神性》（*Concerning the Spiritual in Art*）中提及，「紅是用力敲擊的鼓，淺藍是長笛，湛藍是大提琴，深藍則是低音大提琴。」這樣的想法，可以從他的《構成第八號》（*Composition VIII*）、《多彩的合奏》（*Colourful Ensemble*）等作品中略知一二。

相對地，透過音樂呈現繪畫的音樂家也不在少數。美國搖滾樂團Rachel's為奧地利表現主義畫家埃貢・席勒（Egon Schiele）量身打造的專輯 *Music for Egon Schiele*，透過憂鬱、抒情的曲風，便足以讓人深陷席勒的悲哀與超凡天賦；俄國作曲家莫德斯特・穆索斯基（Modest Mussorgsky）也在自己的畫家摯友哈特曼離世後，挑選了十幅遺作譜寫十首樂曲，這就是曲調莊嚴而悲戚的《展覽會之畫》（*Tableaux d'une exposition*）。

深受西班牙黑畫畫家哥雅（Francisco de Goya）影響的音樂家，更是多不勝數。義大利浪漫派作曲家馬里奧・卡斯泰爾諾沃—泰代斯科（Mario Castelnuovo-Tedesco）創作的《二十四首哥雅隨想曲》（*24 Caprichos de Goya*），靈感正是源自哥雅的版畫作品集《奇想集》（*Los Caprichos*）；獲選為電影《鋼琴師和她的情人》（*The Piano*）創作配樂而聲名大噪的英國作曲家麥可・尼曼（Michael Nyman），也曾寫出歌劇作品《面對哥雅》（*Facing Goya*）。被稱為是「作曲界哥雅」的西班牙作曲家恩里克・格拉納多斯（Enrique Granados）所創作的鋼琴組曲《哥雅畫集》（*Goyescas*），則為「哥雅風格」做了淋漓盡致的詮釋，而後也被改編為歌劇。

一段旋律、一首歌曲，有時更勝千言萬語

偶爾，我不禁會思考著，「如果沒有了音樂，我們該如何活下去？」或許，根本沒有人能夠倖存。一小節的歌曲，有時甚至比任何哲理蘊含的力量還要強烈；一首歌，有時更勝一百句話。

如同英國畫家阿爾佛雷德・威廉・亨特（Alfred William Hunt）所言，「音樂是能治癒內心傷痛的良藥。」無論什麼樣的音樂都擁有獨特療效，通通擺進藥局販賣似乎也不為過。有些歌曲，彷似一縷燭光在漆黑的夜晚撫慰人心；有些音樂，適合在人生低潮之際反覆聆聽。飄然細語般的淒

婉旋律，溫柔輕撫著疲倦的心；甜美卻摻雜哀傷情緒的輕柔曲調，蘊藏著理清紊亂心境的強大力量。

駐足回首，音樂陪伴你我走過無數時光。闡釋記憶漸逝的初戀之歌、勾起第一次兜風回憶的音樂……聽著法式香頌，憶起興奮踏足香榭麗舍大道的畫面；聽見與朋友在隨興流浪之行中一起聽過的音樂，宛如再次身歷其境。眼前一片茫然，彷彿看不見未來時，第一個想起的永遠是「音樂」；生命猶如跌進萬丈深淵時，瘋狂地讓自己沉浸在音樂裡；深感悽慘無比、一無是處時，總是一再靠著音樂熬過那些時刻。

時而悲傷、時而歡樂的人生，始終隨侍在側的音樂，從傷痛之中救贖我們，然後再送上一份閃著耀眼希望的禮物……這就是音樂的偉大之處。每個人內心深處都有一個珍而重之的秘密基地，或許，那就是一個悠揚旋律不絕於耳的地方。

好好哭一場，釋放內心鬱結

人的心底，藏有數之不盡的傷痛，
當這些傷痛累積得再也無處可放，便成了潸然而下的眼淚。
哭不能解決問題，但不哭卻會產生更多問題。

像洗衣般，把複雜的情緒一件件滌淨

笑不出來的日子，從未間斷。話雖如此，卻也流不出一滴眼淚，只是覺得痛楚。人類的悲傷，刻骨銘心且使人意志消沉，甚至無法輕易消逝。極力想抹去悲傷痕跡，卻怎麼也消除不了。這時，我會習慣性地洗衣。

再也沒有任何行為，比洗衣更適合用來具體化地洗滌悲傷。將混亂堆積的待洗衣物，一件、一件地分門別類，有如細細審視自己內心的複雜情緒，努力地釐清悲傷根源。只要用雙手使勁搓揉、雙腳用力踩踏，煩心事似乎就能隨著洗出的污垢一點、一點地消失。以清水沖洗數次，使盡全力扭乾後，將衣服逐一晾起，頓時感到通體舒暢。衣物在溫煦的陽光下變得乾燥，似乎也能感覺到內心的悲傷隨之風乾。

自人類開始穿衣後，「洗衣」的行為便隨之誕生。原始時代，人們大多基於禮儀、美德、宗教等目的而洗衣，隨著文化發展漸盛，漸漸轉為基於社交與衛生考量而洗衣。從古代壁畫中，便能窺見過去即存在著洗衣的行為——古埃及有專門負責洗衣的人員；除了衣服，古希臘人也以雙腳踩踏的方式清洗寢具。

最貼近生活的景象，在畫中有著多變樣貌

將洗衣視為歡樂的遊戲而非單純的粗活，是許多畫家鍾愛的題材。法國畫家戴奧菲・笛霍樂（Théophile Deyrolle）的《洗衣婦》（*Les Lavandières*）描繪洗衣婦女談笑風生的模樣，呈現盎然朝氣；芬蘭畫家艾琳・丹納森—甘柏吉（Elin Danielson-Gambogi）的《曬衣》（*Laundry Drying*），寫實地畫出婦女在鄉村後院曬衣的景象；美國畫家查爾斯・柯倫（Charles Courtney Curran）的《影子》（*Shadows*）則以曬衣女的背影為構圖主題，映照於淨白衣物上的樹影，完美營造了恬靜氛圍。

說起最常描繪洗衣景象的畫家，則非法國畫家保羅・高更（Paul Gauguin）莫屬。而高更開始以「洗衣」為創作主題的契機與地點，正是他曾與梵谷同住的南法鄉村——亞爾（Arles）。

高更在亞爾畫下許多以洗衣為題的作品，像是描繪婦女們在秋高氣爽的十月於江邊洗衣的《亞爾的洗衣婦》（*Washerwomen in Arles*），即以強烈的色彩對比，勾勒出具有衝擊力的視覺效果；《運河邊的洗衣婦》

（*Washerwomen at Roubine du Roi*）則瀰漫自然主義的筆觸，巧妙傳達原始氣息。此外，相較於聚焦在人物上，《阿凡橋的洗衣婦》（*Washerwomen at Pont-Aven*）則更為完整地描繪洗衣場地，重現鄉村田園的生活風貌。

習慣了巴黎大都市文明的高更，亞爾的洗衣景象成為他眼中「原始」的代名詞，也使他逐漸接受類似在河邊洗衣這樣的「傳統」行為。於是，高更以異鄉人好奇的目光，畫下各種洗衣的景象。

提到以晾衣為創作主題，就不禁讓人想起法國畫家貝絲．莫里索（Berthe Morisot）。以工廠與鄉村為對照背景的《晾衣洗衣婦》（*Laundresses Hanging Out the Wash*），以及她離開巴黎投入鄉村生活後所畫的《晾衣農婦》（*Peasant Hanging out the Washing*），都是她的代表作品。

不過，兩幅畫卻給人截然不同的感覺——前者呈現鄉村的悠閒與歡樂，後者則聚焦於晾衣的寫實感。即便是同一位畫家在背景類似的鄉村描繪晾衣的畫面，卻能以全然不同的構圖和視角表現，饒富意趣。

撇開上述相異之處，兩件作品的繪畫技法其實相當類似。莫里索活用印象派繪製動感光線的獨有筆觸，並以艷麗的色彩突顯晾衣景象。或許正因她對描繪光線的精益求精，才得以使自己藉由晾衣畫，撫慰初嘗鄉村生活的陌生感。

約翰·斯隆——抒情詩般和煦的人文主義

跟高更、莫里索一樣畫下許多洗衣畫的人，還有美國寫實主義畫家約翰·斯隆（John Sloan, 1871-1951）。斯隆有時將洗衣當成主題，有時又以洗衣為背景，反覆呈現於不同畫作。

描繪一名婦女在公寓陽台晾衣的《做事的女人》（*A Woman's Work*），表達出晾衣這件工作既累人又有成就感的氛圍。在《格林威治村的後巷》（*Backyards, Greenwich Village*）中，正是寒風吹拂巷弄、積滿白雪的時節，孩子們在洗好的衣物下堆雪人，場景雖為嚴冬，卻洋溢著暖呼呼的感覺。以隨風搖曳的洗淨衣物為背景，生動描繪婦女們在頂樓吹乾頭髮的《星期天，吹乾頭髮的女人們》（*Sunday, Women Drying Their Hair*），則巧妙呈現假日午後的悠哉與浪漫。

主張畫作應與日常生活連結的約翰·斯隆，敏銳地運用畫筆勾勒朝氣蓬勃的都市生活。出生自洛克海文市，直到長眠於漢諾威為止，終其一生都在美國度過的他，藝術創作的泉源理所當然也是來自美國。

一九〇四年遷居紐約的斯隆，同樣如實地呈現當時紐約的多樣化景色。從其創作中，不難窺見他常以略顯涉世未深的眼光，觀察巷弄、頂樓、庭院等地點，畫下充滿人情味的作品。無論是俗麗的曼哈頓紅燈區、鬧哄哄的戶外廣場、看電影的人群、巷弄間奔跑嬉鬧的孩子、庭院中種樹的女人，藉由斯隆暖意的筆觸，彷彿都成了你我身邊親切的街坊鄰居。

換句話說，斯隆的畫為微不足道的日常景象賦予了靈魂，他藉由畫筆精妙地捕捉了那些容易被忽略的瞬間，習以為常的都市風貌於是也有了自己的繽紛色彩與纖細輪廓。瀰漫著和煦人文主義的每幅作品，就像一首首抒情詩般，溫暖了我們的心。

在斯隆以洗衣為背景的畫作中，最能完美呈現溫柔、感性情緒的作品，當屬《風和日麗的頂樓》（*Sun and Wind on the Roof*）。

這幅作品描繪一名女子在寬敞無際的頂樓晾衣，日光灑落女子全身，她赤腳晾衣的模樣，給人自由明快的感覺。乾淨衣物隨風擺盪的瞬間，栩栩如生地如同電影畫面般呈現眼前。

女子在頂樓晾衣，艷陽映照著她的背。就像隨風肆意起舞的衣服，女子的心也跟著波動蕩漾。緊閉的雙唇，啣著難以言喻的悲傷；專注於晾衣工作的眼中，閃爍著渴望消除悲傷的思緒。

對她而言，洗衣的過程，是讓自己被冷漠現實磨蝕殆盡的心煥然一新的最佳媒介。暫時擺脫煩悶、壓迫的真實生活，在暖陽普照的頂樓晾衣，將長久累積的惱人灰塵一掃而空。略顯強勁的風迎面吹來，吹散了憂鬱；曾以為會陰魂不散地纏著自己身心的苦難與傷痛，也消失得無影無蹤。

《風和日麗的頂樓》，1915／約翰．斯隆
布面油畫，60.96×50.8cm，美國林奇堡梅爾美術館（Maier Museum of Art）

不要壓抑，讓自己恰到好處地悲傷一回吧

人的心底，藏有數之不盡的傷痛。如同聚集的雲朵最終形成了傾盆大雨般，當這些傷痛積累得再也無處可放，便成了潸然而下的眼淚。無從宣洩的眼淚若一直堆積在心裡，到頭來只會變成一灘發臭的苦水。偶爾，我們也需要好好哭一場。哭不能解決問題，但不哭卻會產生更多問題。

悲傷時，靜靜回顧其中的根源，不要壓抑，就讓自己恰到好處地悲傷一回。無須強裝成熟，只要記得在悲傷過後，擦乾眼淚起身就好。我們要做的不是克服悲傷，而是消化悲傷；不是戰勝悲傷，而是撫慰悲傷。有時候，不妨刻意讓自己大哭一場，藉以釋放內心的鬱結，讓一切隨著眼淚流逝吧！

日常的幸福，送給自己的小小奢侈

把握近在眼前的幸福，才是聰明的人生哲學。
不做任何努力，癡癡等著幸福找上門的人，是最不幸的；
幸福只會為了那些珍惜幸福、並為此實踐與行動的人而綻放。

我們要做的不是追求幸福，而是意識幸福

我們總是因為冀求過多的幸福，而難以感到幸福；為了追尋更多幸福，反倒忽略了近在眼前的幸福。有時，我們甚至會刻意無視早已擁有的幸福，每每想著：「這麼好的事，怎麼可能找上我？」結果親手摧毀了應得的幸福。試著將幸福羅列在自己專屬的櫥窗內，就像太過自信的背後往往反映出自卑，想要展示「幸福」，終究只是暴露「不幸」的真相罷了。我們要做的不是追求幸福，而是意識幸福；不是夢想幸福，而是感受幸福。「幸福」是什麼並不重要，重要的是「幸福的感覺」。

我有一位摯友，每當她覺得內心煩鬱、生活苦悶，需要轉換情緒時，就會去買口紅。光是擦一擦口紅這個動作，就能一掃她心裡的煩憂；口紅濕潤的觸感與濃郁的香氣，更能讓她瞬間沉浸在幸福之中。看著美麗的

顏色，心情隨之煥然一新，這就是藉由色彩穩定情緒的「色彩療法」。花一點點小錢卻能帶來心靈的滿足，對身為平凡上班族的她而言，口紅是唯一的奢侈，也是她送給自己的禮物。

我想起不久前，她收到我送的橘色口紅時，雀躍得就像個孩子，露出天真爛漫的笑容。看見一支小小口紅就能讓她如此開懷，我也不由自主地跟著感到幸福。對於總是為了無謂之事操煩、難以單純享受快樂的我，她彷彿親身向我示範了何謂「幸福」。

或許，口紅帶來的快樂只是剎那的感動、暫時的情緒轉換……然而，持續不斷的幸福原本就不存在，學會享受當下的幸福，說不定正是你我體會人生樂趣的唯一途徑。

為了小事而滿足、時刻懂得知足的她，無疑是幸福之人。或許有些人會排斥刻意去營造「幸福」的感覺，但是感受幸福，靠的不是「頭腦」，而是「心」。總是難以「隨心所欲」的「心」，反而更需要時時努力經營與關懷。

小小的奢侈，也算是一份送給自己的幸福禮物。所謂的「奢侈」，不一定只意味著物質層面的滿足，它可以是「時間」或「空間」，也可能是「情緒」或「心靈」。即便每個人感受幸福的管道都不相同，但只要能意識自己是透過什麼樣的方式體會幸福，至少也算是一種成功與自我溝通的證據吧。

《化妝的女人》——平凡生活中的幸福樣貌

看著摯友藉由送自己口紅感受幸福，也讓我想起了美國印象派畫家佛瑞德里克・卡爾・弗里薩克（Frederick Carl Frieseke, 1874-1939）的畫作——《化妝的女人》（*Before Her Appearance*）。

坐在梳妝台前的女人，左手持著小手拿鏡，右手拿著口紅，正專心地化妝。梳妝台上散落著粉撲、粉盒，見到腮紅刷也出現了，不難推測化妝已經進行到最後步驟。陽光映照出女人的背部線條，若隱若現的光線灑落在房間的每一個角落。從後方投射而入的陽光，透過鏡子，再次反射到女人身上，映得她的臉龐更加耀眼。由梳妝台垂落的綠色長項鍊，經由陽光照射，散發出綠光；洋裝下襬的蕾絲，爭相綻放。質感細膩的畫工，華麗且優雅地呈現出柔嫩滑順、光芒奪目的畫面。從畫布傾洩而出的光采，彷彿轉瞬就會消失。

弗里薩克出生於美國，在此學習藝術相關課程後，二十三歲時他前往巴黎，而後即在法國度過人生的大半歲月。相較於其他美國第二代的印象派畫家主要沿襲法國畫家克洛德・莫內（Claude Monet）的畫風，弗里薩克雖然就住在莫內位於巴黎郊區吉維尼的宅邸隔壁，卻因深深崇拜雷諾瓦，而選擇了追隨雷諾瓦的腳步。弗里薩克主要以人物畫為創作主題，而非風景畫或靜物畫，尤其喜歡描繪女性日常的模樣。仔細觀賞他的畫作，女人圓潤的臉部線條與漫溢感性的構圖，再搭配絢麗的光線、色調等，不難窺見雷諾瓦的蹤跡。

《化妝的女人》，1913／佛瑞德里克·卡爾·弗里薩克
布面油畫，130.18×130.18cm，美國傑克遜維爾康莫爾美術館（Cummer Museum）

描繪裸女躺臥在軟綿綿床上酣睡的《眠》（*Sleep*），成功捕捉寧靜的瞬間；《投影》（*Reflections*）中戴著綠色項鍊凝望鏡子的女人背影，則貫徹了世人賦予他的「綠光魔術師」稱號，極致呈現神秘綠光的美感。在《門口》（*In the Doorway*〔*Good Morning*〕）中，他巧妙描繪女人撐著陽傘回家的瞬間景象，以門檻劃分屋內、外的光與影，堪稱其出色的代表作。品茶的女人、散步的女人、閱讀的女人等，各式各樣的女性日常樣貌，都是弗里薩克愛好的創作主題。

曾有人以畫作中女性的服裝多為人工修飾、光線與色彩皆屬人為添加，批判弗里薩克是「修飾派印象主義」，不過這些言論絲毫未影響其畫作散發的耀眼光芒與華麗感，依然有許多人想要收藏他的作品。弗里薩克執著於細膩地呈現完美光線，甚至因而被稱為「光之畫家」。「我要的就是陽光，陽光裡的花、陽光裡的少女、陽光裡的裸體……過去八年，我都是在陽光底下見到這些景象的，只要能如實畫出眼裡所見的一切，我就會感到幸福。」聽完這一席話，必能體會他對光線的著迷程度。

感受當下的快樂，珍惜眼前的人生

藉由弗里薩克所追求的光線，《化妝的女人》勾勒出日常的幸福模樣。一名女子的平凡生活，透過畫筆加持，變得明亮而艷麗，傳達出愉悅、平靜的感受，也讓人赫然驚覺，一般所謂追求幸福的必備「條件」，根本毫無意義，我們有必要重新思考何為幸福的真義。

小時候，我的志願就是「擁有幸福的人生」，我深信這是一生最重要的事。然而，從某個瞬間開始，我突然領悟人生並不存在「幸福」這個選項。這麼說並不代表人生只有不幸，況且有時候，不幸也會帶來幸福。聽來或許有些荒謬，但人生原本就是由各種「荒謬」組合而成。人的一生，反覆經歷著各式的幸與不幸，不幸或許還占據了更多比例。但可以確定的是，不幸絕不會因為你我拒絕面對，就乖乖離開我們的人生。

靜下心好好想想，幸福，就在微不足道的小事之中。期待著終將到來的至福，而非執著於總會離去的不幸。今天，就能感受「當下」的幸福；活著，不就是真正幸福的人生嗎？

一如美國詩人詹姆斯．奧本海默（James Oppenheim）所言：「愚者追求遙不可及的幸福，賢者在自己的腳邊播種幸福。」把握近在眼前的幸福，才是聰明的人生哲學。不做任何努力，癡癡等著幸福找上門的人，是最不幸的，幸福只會為了抱持想要幸福的心、並為此實踐與行動的人而綻放。真正的幸福，不在絢爛耀眼的地方，而是始於平凡無奇之處。細細咀嚼「幸福就在不遠處」的道理，以此做為送給自己的小小奢侈吧！

一杯熱咖啡，啜飲人生況味

小小一杯咖啡，平淡苦澀，卻有著掩不住的濃郁香氣。
其實咖啡很像你我的人生，苦甜參半。如果人生也像咖啡一樣，
只要加入糖漿，便能適度調整苦味，不知該有多好？

咖啡的芳香溫熱，緩緩融化了身與心

心情，有一股濃縮咖啡的味道。總有這樣的日子，苦澀味不斷在口中打轉……面對冷不防找上自己的焦慮，總顯得束手無策……此時，咖啡是讓我們不再感覺孤軍奮戰的最佳伴侶。就連開創帝國盛世的亞歷山大大帝也曾說過：「事實上，面臨排山倒海而來的困境，我們的內心都存在著最純粹的渴望——一杯熱騰騰的咖啡。」咖啡，確實有著給人鼓舞與慰藉的力量。

一杯咖啡，陪我展開全新的一天。看著沸水緩緩冒起泡泡後，在濾杯裡裝上濾紙、放進磨好的咖啡，接著以畫圓的方式，由內向外緩緩倒入沸水沖泡。彷彿只要全神貫注地沖泡出一杯完美的咖啡，便足以甩開所有煩惱，屋內也隨之瀰漫著濃郁的香氣。

拿起杯子，淺嚐一口，內心的憂慮也跟著一件、一件消失；濃醇的咖啡味，最終回甘成了一絲駐足舌尖的幽香。品賞著讓人心情大好的苦味，伴隨清爽的酸味，最後轉為繚繞口中的甜味，心情也跟著安定下來。聆聽內心奏出的和諧旋律、享受片刻恬靜，絕對是任何事物也無從替代的寶貴瞬間。

正沉醉於咖啡的香濃之際，窗外忽然嘩啦嘩啦地下起雨來。適合任何天氣、氛圍、心情的咖啡，似乎更是雨天不可或缺的必需品，在這樣的時刻，更讓人渴切地想啜飲熱呼呼的一杯。

靜享著雨天和馥郁的咖啡香，讓人想起了義大利畫家文森佐・伊羅利（Vincenzo Irolli, 1860-1949）的作品——《窗邊》（*At the Window*）。伊羅利以一名女子在雨天喝著咖啡為主題，完成了感覺靜謐又生動的畫作。雨絲漸粗，不知不覺間，被雨水浸濕的庭院波光粼粼。盛開於花圃的花朵，個個挺直腰桿、盡情淋雨；葉子則隨著風雨，恣意舞動。如此景象，彷彿是悲傷的老天在啜泣，而樹木與花朵卻歡欣鼓舞地燦笑著。

穿著黑色洋裝的女人坐在桌邊，靜靜低頭凝視杯子，端莊而優雅。她像是陷入沉思般，迎接著悠閒、寧靜的早晨。隱約的雨聲，浸得咖啡香氣略顯濕潤……她全心全意只專注於眼前的咖啡。從天降落的雨滴，凝結住咖啡香，讓香氣留在女子身邊更久一些，而她正以敏銳的嗅覺，深層地品味著。咖啡杯的熱氣，透過雙手緩緩融化了身與心。望著一邊聆聽雨聲、一邊悠閒享用咖啡的女子，讓人也迫不及待想喝上一杯……

《窗邊》／文森佐・伊羅利
布面油畫，68.2×68.2cm，私人收藏

咖啡是藝術家創作的動力，也是療傷的伴侶

自古以來，即有許多熱愛咖啡的畫家。他們仰賴咖啡熬過創作的艱辛，咖啡也成了他們重要的靈感泉源，梵谷即是其中之一。他生前最喜歡的咖啡，是有「咖啡女王」之稱的摩卡瑪塔莉（Mocha Mattari），其命名源自於葉門最大的咖啡貿易港——摩卡港。摩卡瑪塔莉是產自葉門瑪塔高地的頂級咖啡，濃郁果香與酸氣為其獨有特徵。

梵谷對咖啡的熱愛程度，從其畫作中可見端倪。待在亞爾的那段時期，他經常光顧徹夜經營的咖啡廳 Le Café la Nuit，並在此花了三個晚上完成《夜間咖啡館》（*The Night Café in the Place Lamartine in Arles*），以及描繪咖啡廳老闆娘紀奴夫人的《亞爾婦人》（*L'Arlésienne*〔*Mme Ginoux*〕），而《夜晚的露天咖啡座》（*Café Terrace at Night*, 又名*The Café Terrace on the Place du Forum*）尤其最為聞名。梵谷以咖啡為主題的其他創作，還包括一八八四年的《咖啡磨豆機、菸斗盒與水瓶靜物畫》（*Still Life with Coffee Mill, Pipe Case and Jug*），以及一八八八年的《靜物畫：藍色陶瓷咖啡壺、陶器與水果》（*Still Life: Blue Enamel Coffee Pot, Earthenware and Fruit*）。

除此之外，義大利畫家喬凡尼・巴蒂斯塔・提埃坡羅（Giovanni Battista Tiepolo）、卡納萊托（Canaletto）與亞美迪歐・莫迪里安尼（Amedeo Modigliani），以及法國畫家帕布羅・畢卡索（Pablo Picasso）、高更、馬內、雷諾瓦等……還有其他數之不盡的創作者，也都是在咖啡廳裡一邊品嚐咖啡、一面構築自己獨一無二的藝術世界。

也有人如以下幾位法國畫家，選擇將喝咖啡的景致放進畫作。皮耶・波納爾（Pierre Bonnard）描繪女子與寵物犬坐在桌邊喝咖啡的《咖啡》（*Coffee*），呈現悠哉氛圍；曼紐爾・侯伯（Manuel Robbe）筆下洋溢田園風情的《廚房內磨咖啡豆的女人》（*Woman grinding Coffee within a Kitchen Interior*），畫出女子在狹窄廚房裡用磨豆機磨碎咖啡豆的景象；霍伯特・德洛內（Robert Delaunay）的《咖啡壺或葡萄牙人靜物畫》（*Coffee Pot or Portuguese Still Life*），則像是一首詩，精準地凝結住屋內溢滿咖啡香的瞬間。

不用顏料，選擇直接以咖啡作畫的現代畫家同樣大有人在。馬來西亞畫家 Hong Yi，以殘留在馬克杯底的咖啡漬，創作出巨幅肖像畫；美國咖啡藝術家凱倫・伊蘭德（Karen Eland），以運用濃縮咖啡作畫而聞名；韓國畫家崔達壽（Dal-Soo Choi）則是在選用咖啡豆創作後，再活用剩餘的咖啡粉末，營造畫作的多層次質地。

熱愛咖啡的音樂家更是多不勝數。貝多芬每天清晨一睜開眼，便動手研磨六十顆咖啡豆，放進玻璃咖啡濾壺中烹煮飲用，即便晚年深受聽障問題折磨，咖啡仍是他撫慰孤寂的最佳好友。布拉姆斯半夜醒來時，會從濾壺中倒出咖啡，一邊品飲一邊作曲。坐在撞球桌邊的莫札特喝了一口咖啡後，看著撞球每撞擊桌面四周一輪，便寫下曲子的一節；巴哈甚至寫下了《咖啡清唱劇》（*Coffee Cantata*），表達對咖啡的著迷。以 *Piano Man* 一曲聞名的美國歌手比利・喬（Billy Joel），也曾在歌中提及：“ There's comfort in my coffee cup.”（我能在咖啡杯中尋得慰藉）。

說到對咖啡的熱愛，當然也少不了文人雅士。因日夜埋首寫作而被戲稱為「文學勞工」的法國作家巴爾扎克，每天得喝上五十杯咖啡，他曾經在《咖啡頌歌》中寫道：「從咖啡滑進胃裡的瞬間起，一切才開始運作。」美國作家海明威，不僅讓自己平時愛喝的古巴水晶山咖啡現身於《老人與海》，也因為在另一部小說《雪山盟》中提及坦尚尼亞咖啡，使這款咖啡隨之聲名大噪。靠著一杯咖啡戰勝懷才不遇的現實生活，英國作家J. K.羅琳在蘇格蘭愛丁堡的小咖啡館裡，寫下了全球暢銷小說《哈利波特》。對藝術家而言，咖啡是創作的原動力，也是撫慰傷痛的伴侶，一如我們的生命，孤獨卻熾熱。

清晨、午後、夜晚，都適合來一杯溫暖慰藉

小小一杯咖啡，平淡苦澀，卻有著掩不住的濃郁香氣。其實咖啡很像你我的人生，苦甜參半。如果人生也像咖啡一樣，只要加入糖漿，便能適度調整苦味，不知該有多好？

對不同的人們而言，咖啡可能是最足以集中注意力的良方、最理想的能量來源，抑或是最溫暖的慰藉。清晨的一杯咖啡，為嶄新的一天灌注活力；午後的一杯咖啡，一掃慵懶下午的疲憊；夜晚的一杯咖啡，則賦予深沉的安全感。

度過行程滿檔的一天，我隨即奔向咖啡的懷抱。喝著咖啡，撫慰焦躁的情緒、整理紊亂的思路，以暖呼呼的熱氣，送走內心的渾沌不清……

快樂很簡單，吃一口Soul Food就好

我們在某些日子裡吃到的食物，會默默地躲在身體或內心一隅，
悄然散發溫暖的氣息，成為你我的生活能量。
只要一份擁抱靈魂的 Soul Food，就能帶來慰藉、製造快樂。

食物的滋味，盛載著許多難忘記憶

每個人，都有自己難以忘懷的味道。造訪某些地點、迎接特定季節時，隨即會想起的食物，我們稱為 Soul Food，一種承載著回憶的飲食。

下雨天，和三五好友在鐘路某巷弄內共享的韓國米酒與蔥煎餅，安撫了青春時期躁動的心；嚴寒時，細細拌勻熱騰騰的白飯與豆渣鍋湯汁，讓人懷念起溫暖的家鄉味。對我而言，徹夜處理畫作事宜時，只要一塊濃郁的巧克力軟心蛋糕，就能立刻撫慰精疲力竭的身心靈，堪稱最佳提神良藥；外皮金黃酥脆的炸雞搭配一杯冰涼啤酒，正是忙得昏天暗地時的一絲曙光。某個深夜，我拖著疲憊身軀回到雅典的老房子，煮沸熱水、加點辣椒醬，與朋友不顧形象地吃著被戲稱為「自然捲」的泡麵，那滋味直教人永生難忘。

食物，雖是人類最原始且基本的需求，卻具有不亞於繪畫的創意價值。從小就喜歡各式手作的我，除了繪畫之外，最喜歡的就是料理了。生長在雙薪家庭、必須幫忙照顧弟妹三餐的我，經常得下廚，但這並不只是因為自己肩負大姐的責任，而是我喜歡料理，也很享受料理的過程。

配飯的小菜、填飽肚子的簡單點心……都是我和弟妹們經常一起做來吃的食物，而其中出現次數最頻繁的，當屬辣炒年糕了。加進醬油、辣椒醬、炸醬、咖哩等不同醬料，或是替換不同配料，便能調製成口味各異的年糕，堪稱是千變萬化的菜色。只要一盤炒年糕擺上桌，看來就很豐盛，是我心目中最簡單的佳餚。

我對炒年糕的熱愛異於常人。小時候，跟朋友在學校門前的路邊攤，用牙籤把紙杯中的年糕叉成一串，呼呼地吹涼，一口接著一口填進肚子；大學時，和同學靠著熱騰騰的炸醬炒年糕，慰勞總是飢腸轆轆的青春肉體；寒風凜冽的日子，走進幾經打聽總算在瑞士找到的韓國料理店，滿身大汗地吃下超辣年糕，一掃整趟旅程累積的疲憊。

近來，每當身心俱疲時，只要一碗炒年糕，便能替我注入滿滿的能量。肚子餓起來的時候，我會為了吃上一口勁辣、爽口的辣湯炒年糕，特地跑一趟麻浦；想念起古早味，則會前往文井洞的年糕街；沒有胃口了，就隨即起身造訪新堂洞，吃點甜中帶辣的現炒辣年糕。炒年糕像是永遠都吃不膩的味道，應該也是所有韓國人都愛不釋手的 Soul Food 吧！

《廚房裡的少女》——料理，是一種溫暖的療癒

《廚房裡的少女》（*Girl in the Kitchen*）是丹麥印象派畫家安娜·安卡爾（Anna Ancher, 1859-1935）的作品。看著這幅畫，總讓我想起過去喜歡料理的自己，因而驚喜不已。

畫中，一名少女在廚房做菜，她俐落束起的頭髮、整齊捲起的袖口、垂落的長裙，看來端莊而整潔。料理台旁的桌上有碗盤、抹布、提籃；長桌上則擺著兩尾新鮮的魚和覆滿泥土的蔬菜。

少女用熟練的手法，清理著一株株剛從庭院拔起的新鮮食材。她將蔬菜切成適當大小，可能想做成涼拌蔬菜佐酸甜醬，也或許是想通通倒進鍋裡，與整尾鮮魚一起煮成口味清淡的燉魚鍋。真好奇她究竟會做出什麼樣的料理……

我的心思，立刻就被神奇的自然光拉進畫裡。透進窗戶的日光，因窗簾的遮擋顯得有些朦朧；藉由敞開的門，與隔壁房間耀眼的陽光融合，呈現和煦、靜謐的畫面。若隱若現的光線映在少女臉龐上，成功營造出溫馨的氛圍；透過牆壁與地板反射的光線，替看來略顯孤單的廚房，注入一絲盎然生氣。

由窗簾縫隙悄悄溜進屋內的陽光，像是殷切地在給少女鼓舞、打氣；站在讓心情豁然開朗的陽光中做菜，使少女更顯熱情洋溢。

《廚房裡的少女》，1883-1886／安娜．安卡爾
布面油畫，87.7×68.5cm，丹麥赫希施普龍收藏館（The Hirschsprung Collection）

安卡爾出生於丹麥的斯卡恩（Skagen），此地位於日德蘭半島最北端的海洋交界處，她是家中五個孩子裡的長女。安卡爾從小便擁有過人的藝術天賦，當時有許多畫家皆留宿於她父親經營的飯店，並在此從事各式創作，她也因而在生長過程中深受潛移默化，養成了對藝術的獨到思維。

後來，她在哥本哈根的藝術學校學習了三年繪畫，隨即前往法國巴黎，進入皮耶·夏凡納（Pierre Puvis de Chavannes）的畫室從事創作，確立個人畫風。幾年後，安卡爾重回斯卡恩，在一八八〇年與同為畫家的米凱·安卡爾（Michael Ancher）結婚，生下女兒海格，並就此定居斯卡恩藝術村。

在當時的歐洲社會，女性不太有機會接受教育，婚後還得承受「已婚婦女必須全心全意照顧家庭」這樣的社會期待，女性在陌生男性面前若露出容貌，甚至被視為禁忌。因此，女性根本不敢妄想能在婚後繼續以全職畫家的身分，活躍於藝術界。但安卡爾並未就此屈服，反倒更鍥而不捨、盡其所能地創作。她把目光鎖定於斯卡恩的日常樣貌：施打疫苗的日子、庭院中的梨樹、秋收的景象、閱讀的女人、織毛線的老母親、料理的少女等，將最平凡、最生活的情景，盡收畫中。

有趣的是，皆以描繪斯卡恩日常為題的安卡爾夫婦，即使同住一個屋簷下，丈夫多半挑選海景或漁夫動態為主角，安卡爾則偏好刻劃女性樣貌與室內景象。而這樣的畫風差異，不難推斷是因為當時的社會風氣，仍以嚴格且保守的心態看待女性所致。即便如此，安卡爾從未停止創作。漸漸地，她以擅長寫實、細膩地描繪光線與色彩而廣為人知，最終成了丹麥代表性的知名畫家。除了她本身過人的意志與努力，默默守護、幫助她的丈夫米凱．安卡爾，同樣功不可沒。

安卡爾夫婦後來成為丹麥一千元鈔票的正面圖像，迄今仍深受景仰。他們在斯卡恩住過的房子，於安卡爾辭世後歸女兒海格所有；海格過世後則由海格集團改建為博物館，收藏當時與安卡爾夫婦一起活躍於藝壇的畫家作品、以及安卡爾一家的創作，成為眾人爭相造訪的名勝。

Soul Food 的鼓舞慰勞，為全身注入滿滿電力

Soul Food 原本是指工作艱苦的奴隸們，藉由高卡路里的食物以慰勞精疲力竭的身心靈；現在的 Soul Food，則用以稱呼那些吃了之後，讓人不由得倍感安慰、一解內心煩悶、喚起美好記憶的食物。吃光一盤熱騰騰的簡樸料理後，隨即感到踏實的內在、信心、勇氣，伴著油然而生的力量，讓全身就像注入了滿滿電力。

我們在某些日子裡吃到的食物，會默默躲在身體或內心一隅，悄然散發溫暖的氣息，成為你我的生活能量。只要一份擁抱靈魂的 Soul Food，就可以帶來慰藉，為我們製造快樂。快樂，就是這麼簡單，吃一口美食就好！看著安契爾畫中的少女，真想立刻吃一盤辣炒年糕！

人生中最不凡的，正是平凡

無論多麼渴切地追尋目標，偶爾也該學會，
停下腳步，學習人生應有的悠閒與等待的智慧。
從微不足道的小事發現幸福……或許才是我們真正需要的事物。

泡個熱水澡，卸下心靈和身體的武裝

我喜歡平凡的日常。一杯早安咖啡、和朋友的閒聊、黃昏時的散步、社區的小咖啡館、甜甜的點心、習慣造訪的美術館、復古相機、沾附手垢的日記本……都是我快樂的泉源。不過，偶爾也會有對一切都不滿足的時候。若想重拾活力，得先讓身體變暖和才行；身體先休息，心靈才會跟著休息。很多時候，複雜的心理問題，意外地能從生理層面來解決。

打開熱水讓浴室瀰漫熱氣，將幾滴芳香精油滴入浴缸，四溢的香氣立刻環繞整個空間。香氣能有效驅逐內心憂慮、釋放緊張，並且舒緩疲勞。擺脫讓人喘不過氣的現實生活，褪去束縛身體的衣裝，頓時感受到前所未有的自由。此時，如果能搭配一杯讓口中漫溢香氣的花草茶、以及光影搖曳的香氛蠟燭，更是錦上添花。

一步、一步……小心翼翼踩進浴缸，將全身託付給熱水的瞬間，身體與心靈的武裝立刻被卸下，像是從未存在於這個世界，完全融化。此刻，無論自己平日化身何種形象，都已不再重要。

我喜歡享受各種各樣的洗澡方式。心力交瘁的日子，撕開一包入浴劑，讓自己潛入不斷湧升的綿密泡沫中，包覆身體的溫柔觸感和幽幽香氣，霎時就能讓心情豁然開朗。懶洋洋的日子，則不妨來個半身浴！將身體浸在浴缸裡，藉由大量流汗，一口氣把堆積於體內的毒素通通排除；試著將雙手放在浴缸邊上舒坦地看看書，累積的壓力會在剎那間像融雪一般徹底消失。走了很多路的日子，可以享受一場不費時間的足浴。促進血液循環、有效消除下半身水腫、舒緩緊繃肌肉的足浴，最適合夜晚進行，將雙腳泡進熱呼呼的水裡，整天的疲憊就能一掃而空。

歷史悠久的沐浴文化，是畫家們著迷的主題

沐浴有著相當悠久的歷史。泡澡最早可見於古羅馬時代，羅馬的大眾澡堂不只是人們清潔身體與休憩的地方，也是治療疾病與追求健康生活的醫療設施。至今仍處處可見當時流行的「沐浴」文化所留下的痕跡，我們也經常能在畫家的作品中見到當時的沐浴場景。

最先令人想起的作品，包括法國畫家讓－里昂・傑霍姆（Jean-Léon Gérôme）描繪女人們在大眾澡堂聊天背影的《浴後景色》（*After The Bath*），以及英國畫家約翰・威廉・高渥德（John William Godward）勾勒女人在撩起布簾

後，解下飾品畫面的《龐貝女子的沐浴》（*A Pompeian Lady*）。而另一位英國畫家勞倫斯・亞瑪—泰德瑪（Lawrence Alma-Tadema）尤其最常描繪沐浴景象——《最愛的風俗》（*A Favourite Custom*）描繪兩名女子在精緻大理石所裝飾的華麗澡堂中戲水；《卡拉卡拉浴場》（*The Baths of Caracalla*）則刻劃男女共浴的官能與歡愉，皆為其廣為人知的作品。

十九世紀的畫家，經常以布面油畫呈現「沐浴」這項創作主題。雷諾瓦以柔和筆觸畫下的《長髮浴女》（*Bather with Long Hair*），營造溫馨、恬靜的氛圍；《三個戲蟹的沐浴少女》（*Three Girls Bathing with Crab*）讓人只是用雙眼欣賞，都能感受身歷其境的愉悅，不由自主地露出微笑。自一八八〇年起，埋首創作沐浴女子系列作品的竇加，則摒棄了傳統型態，改以窺視的角度捕捉沐浴畫面，代表作包括有——描繪女人坐在椅子上用毛巾擦腳姿態的《浴後》（*After the Bath*），向走出浴缸、正在擦拭身體的女人遞上一杯茶的《浴後的早餐》（*Breakfast After the Bath*），以及坐在黃色沙發上，《浴後正在擦乾身體的女人》（*After the Bath, Woman Drying Herself*）。

安德斯・佐恩——把每個平凡瞬間變得與眾不同

瑞典浪漫主義畫家安德斯・佐恩（Anders Leonard Zorn, 1860-1920）則擅用水與光的效果，描繪感性、浪漫的沐浴景象。從完美呈現隱約反射光線的《沐浴中的達拉納女孩》（*Girls from Dalarna Having a Bath*），到女人們坐在石頭上享受沐浴樂趣的《夏季》（*Summer*），皆可得見這項繪畫特色。

而佐恩以沐浴為題的創作中，我最喜歡的是一八八八年完成的《沐浴》（*The Tub*），巧妙地以艷麗氛圍，突顯女人的日常沐浴畫面。

一名裸女佇立於日光灑落的明亮浴室，她站在水波蕩漾的圓形浴盆內，臉蛋與身體有些泛紅，讓你我真切感受到浴室瀰漫的熱氣。隨意盤起的髮型，遺落了幾根未能紮好而被水氣浸濕的髮絲，女子卻只專注於擦拭自己的身體。她用雙手裡裡外外地拭淨透紅得宛如熟果般的臀部，模樣既討喜又惹人憐愛。豐富的層次感與充滿彈性的影像，讓人很難相信這是幅水彩畫，一筆一畫都充滿畫家透過瀟灑筆觸所傳達的生動感。凝視這幅畫，彷彿一併洗滌了自己內心的厚重污漬，清爽而自在。

佐恩出生於瑞典穆拉的貧窮家庭，憑藉著與生俱來的藝術天賦而努力不懈，終於成為瑞典首席畫家。曾經在學校接觸過雕刻課程的他，在遊歷法、英、西班牙、義大利等歐洲各國與非洲後，習得了更加純熟的銅版畫技法。隨後佐恩即居住在巴黎，深受竇加與馬內等印象派畫家影響，細膩融合印象派與西班牙繪畫的特色，創造出自己獨有的畫風。

佐恩涉獵的藝術領域，包括雕刻、銅版畫、裸體畫、肖像畫、水彩畫、油畫等，不僅十分多元，透過作品展現的藝術實力更是不容小覷。一八九三年初訪美國時，佐恩便替兩位美國總統繪製了肖像畫；而他替美國第二十二、二十四任總統格羅弗・克里夫蘭繪製的《格羅弗・克里夫蘭》（*Grover Cleveland*）肖像畫，至今仍享有盛名。一生遊歷過許多地方、留下大批畫作的佐恩，晚年選擇返回故鄉穆拉。他以自宅作為工作室，重

《沐浴》，1888／安德斯．佐恩
水彩與水粉彩，198.12×121.92cm，私人收藏

拾啟蒙藝術生涯的雕刻創作，在一九二〇年夏季悄然走完人生最後一程。迄今在穆拉當地仍保存著佐恩出生的故居與工作室，而他也成為深受世人喜愛的代表性瑞典畫家。

畫家筆下的日常，留住了我們遺落的美好寶物

安德斯・佐恩巧妙地將平凡日常變得與眾不同，「平凡美學」或許正是他一生最珍而重之的價值觀。英國藝術評論家馬修・基蘭（Matthew Kieran）曾在其著作《洞悉藝術奧妙》中提到：「世界，正確來說應該是與論或歷史，永遠都在進行一場全贏或全輸的遊戲，最終只會留下好的回憶和壞的回憶。誰也不會記得那些平凡、簡單的小日子。」

我不禁想著，能夠記錄平凡、簡單日常的，不正是繪畫嗎？畫家將你我視為理所當然，因而一再放任流逝、不懂珍惜的日常場景，收進畫布。藉由繪畫，我們才得以感受蘊藏其中的價值，讓不平凡的平凡剎那，永恆地活在畫布之中。

一如「平凡，才是不凡」這句話，人生中最不凡的，正是平凡。我開始思索，佐恩繪於畫布裡的平凡日常，會不會是自己在追求遠在天邊的理想與欲望時，所遺落下的，近在眼前的真正寶物呢？無論有多麼渴切追尋目標，偶爾也該停下腳步，學習人生應有的悠閒與等待的智慧。從微不足道的小事發現幸福……或許才是我們真正需要的事物。環顧周圍，幸福就在你我視而不見的平凡角落。

慢遊美術館，探尋心之所向

慢遊一趟博物館，走著、走著，才赫然發現，
原本實際存在卻模糊不明的某種情緒，也開始變得清晰。
跟著畫作逐步前進，凝視完整的內心，曾經的鬱悶頓時也輕盈許多。

走路，與內在對話的恬靜時光

有些日子，只想靜靜地走路。不安感襲捲而來的日子、抑鬱難以言喻的日子、悲傷一口氣全湧上心頭的日子……這些都是最適合走路的日子。雖然表面上看似只是單純的走路，但若達觀一點來看，有些情緒經常就在走著、走著之間，不知不覺消失，藉由不斷重複的步伐，一一驅逐混亂掛慮的心事。誠如尼采所言，「所有偉大的思想，皆源於步行。」走路，的確是思考、冥想、自由、愉悅、慰藉、勇氣的泉源。走路是有效整理思緒的機會、審視內心的時光，更是我們能夠最快速、最輕鬆領悟人生意義的寶貴資產。

我熱愛走路。只要開始走路，便能看見平常忽視的事物：那些因快步擦身而過來不及欣賞的路人神情，甚至是不曾發現的自我內心。獨自漫步在一望無際之地時，再翻騰的思緒也會平息、再糟糕的記憶也能忘卻。一邊察覺心境微妙的波動，一邊不問緣由地隨心前行，剎那間，就這麼走進了自己的心。走路，讓我們得以一窺內在的意志，專注地與自己的靈魂對話，以執著的精神正視生命，勇敢放膽地呼吸新鮮的空氣。

假日清晨，我漫無目的地走出家門，隨著雙腳興之所至，猛然回神才發現迷了路……略顯慌張的步伐，卻像是正引領著我前往某處。於是，我又多走了一陣子，不知不覺抵達了三清洞。

有好久了，每當心煩意亂時，我的身體就會養成自動來到這裡的習慣。只要置身此地，心情就會舒坦起來。賞玩巷弄間隨意擺放的花盆，就連巷子另一頭偶爾傳來的狗吠聲，聽來都格外熱情。每個巷口，都能瞥見花草努力求生存的痕跡；歲月無聲老去，化成了簡樸人生的一段談笑風生。雙眼享受著現身於每條窄巷的可愛壁畫、高水準塗鴉，以及大大小小的畫廊，邊走、邊看、邊感受，迎面而來的一切都是如此美妙。

循著僻靜的散步小徑走去，我挑了一個視野不錯的露天咖啡座坐下，看著來往的路人打發時間，然後打了電話給朋友。不久，她便現身了。雖然我們的職業、年紀、所學、裝扮、住處……都不一樣，卻是意外「合拍」的朋友。就讀同一間大學的我們，各有主修科系，卻因數度巧合地選了同一門課而變得親近。大學四年級，當大家都為了準備就業忙得焦頭爛額，我們卻突然計畫前往歐洲背包旅行，因而留下了十分特殊的回憶。近來下班後的深夜，我們常會一起喝杯啤酒消除整日的疲憊；心情煩悶時，我們則會攤開涼蓆，一起坐在漢江邊吹風。無論在哪裡，只要一杯咖啡，兩個人就能開懷地聊上大半天。

吃完咖啡廳簡單的餐點後，我在離開的路上偶然抬頭看了看，蔚藍的天空就像剛被洗刷過一般沁涼、開闊。深深地呼吸，可以感受到涼爽的空氣。不知不覺間，已然入秋了。飽飽的肚子、還有朋友相伴，迎面吹拂的風讓心情格外開朗。無須刻意尋找話題，只要一起笑、一起漫步，內心也能覺得溫暖而踏實。

我們走進一家座落於交錯巷弄間的畫廊。我們來回穿梭於展場、仔細閱讀解說目錄，順便為喜歡的作品拍了幾張照片。突然間，一幅作品擄獲了我的目光，讓我駐足許久，接著我便聽見某處傳來了夾雜著笑聲的交談。我回頭一看，只見朋友正與畫廊主人對話，他們似乎是在討論法國印象派畫家艾德嘉・竇加（Edgar Degas, 1834-1917）的那幅作品——《參觀博物館》。

艾德嘉・竇加——不愛研究光影效果的印象派畫家

身為印象派畫家的竇加，卻意外地對於光線效果或空氣變化沒有太大興趣。因此，他作品中的場景主要限定於歌劇院、咖啡廳、賽馬場、芭蕾舞劇場、美術館等室內空間。竇加留下了一系列以博物館為題的作品，自一八七九年起創作的《參觀博物館》（*Visit to a Museum*），描繪美國印象派畫家瑪麗・卡薩特（Mary Cassatt）與姐姐莉蒂亞欣賞羅浮宮展覽的模樣，這是他在該系列作品中，最為巧妙運用光線之美的畫作。完成此作之後，他又立刻著手繪製了《羅浮宮的瑪麗．卡薩特》（*Mary Cassatt at the Louvre*），接著於一八八五年完成《卡薩特姐妹在羅浮宮》（*Mary Cassatt and Her Sister at the Louvre*），同一年創作的另一幅《參觀博物館》，則是描繪了獨自看展的卡薩特背影。

在一八七九年創作的《參觀博物館》這幅畫中，卡薩特一手扶著腰，挺直身子抬頭欣賞畫作，莉蒂亞則坐在舒適的軟椅上，交替看著目錄與畫作。一樣的穿著、相同的髮型，姐妹倆的賞畫風格卻是大相逕庭。卡薩特專注於實際掛在展場內的畫作，莉蒂亞則專心讀著畫作資訊。兩人之所以存在著如此差異，就在於卡薩特是親身創作的畫家，莉蒂亞則只是單純的賞畫者。

此外，畫中還有一個值得注意的地方：一切景象皆呈現霧濛濛、失焦狀態的畫面中，唯有卡薩特的臉清晰可辨。明明就緊鄰著卡薩特坐在正前方的莉蒂亞，卻是臉部黯淡，甚而有一點被輾過的感覺；卡薩特的臉蛋則散發著耀眼光芒，連低垂的眼皮和紅潤的嘴唇都是那般清楚、鮮明。或許，在那個當下，竇加眼中唯一清晰的，只有卡薩特。

自從童年時目睹母親外遇的場景，竇加便對母親恨之入骨。這股憎惡更蔓延到所有女性身上，他從不避諱在公眾場合談論自己對女性的鄙視，甚至極其露骨地將女歌手比喻成狗。然而，在竇加的心中仍存有例外，那就是瑪麗．卡薩特。

《參觀博物館》，1879-1880／艾德嘉．竇加
布面油畫，91.7×67.9cm，美國波士頓美術館（Museum of Fine Arts, Boston）

卡薩特是竇加畫作中的常客，每當見到竇加為卡薩特創作的繪畫，都能深深感受到他對她的尊重與愛意。他為她寫十四行詩、為她作畫，卻始終沒向她求婚。終其一生維持著親密情誼的兩人，選擇了各自單身一輩子。即便竇加與卡薩特不為人知的愛情故事，終究未曾明確公開，兩人互重互賴的關係，至今仍是一樁美談。

博物館對他們兩人而言，別具意義。自十九歲起，竇加即獲得臨摹羅浮宮展品的許可，藉此培養了獨到的藝術觸覺。竇加藉由鑽研美術館內歷代大師的作品，逐步建構起自己的藝術世界；我們則帶著散步的心情，慢遊一趟美術館，走著、走著，才赫然發現，原本實際存在卻模糊不明的某種情緒，也開始變得清晰。跟著畫作逐步前進，凝視自己完整的內心，曾經鬱悶的情緒，頓時也輕盈許多。

面對摸不清頭緒的人生，畫作就像羅盤一樣，為你我引航、找尋正確方向。何妨就敞開心扉，遵循畫作所鋪排的道路前行吧！

閱讀讓人知道，我們不是只有自己

閱讀，是訓練我們去理解想法不同的人、尊重他人擁有的歷史。
唯有帶著願意理解的心，我們才得以領悟，
這個世界存在著太多灰色地帶，無從斷定非黑即白。

閃閃發亮的眼神，訴說著愛書的熱忱

傍晚時分，我前往望遠洞。我們今天的談話主題，依然是「書」。我現在的版權代理是個重度愛書人，每天清晨六點起床後閱讀兩小時，而且每週固定參加讀書會，眼見他對書籍的痴狂程度，往往讓我自嘆弗如。即使他從事出版業已有很長一段時間，對書籍的熱忱似乎絲毫未減。

最近他開始喜歡閱讀古典人文書籍，如古希臘文史家色諾芬（Xenophon）的《回憶蘇格拉底》（*Memorabilia*）、或柏拉圖的《柏拉圖對話錄》等。只見他仔細地以手寫下字跡密密麻麻、形狀扁平的筆記，並將書中重點用螢光筆筆直畫出，如此舉動深深吸引我的目光。當他說著「想背下來的句子，一定要寫下來才記得住」，眼神閃閃發亮。在人生迷惘之際，閱讀古典文學似乎也是不錯的選擇。

問起他最近在讀些什麼，他從包包裡拿出法國作家羅曼・加里（Romain Gary）的長篇小說《雨傘默默》（*La Vie devant soi*）。面對這個總是依作家聲望給予作品評價的偽善世界，羅曼・加里曾另以埃米爾・阿雅爾（Émile Ajar）為筆名發表作品，最終他則以手槍自殺結束了人生。世人經由他的遺書才發現，原來羅曼・加里和埃米爾・阿雅爾是同一人，阿雅爾出版的小說全都是出自加里之手，此事揭露後隨即引發高度討論。

《雨傘默默》這本小說在一九七五年以埃米爾・阿雅爾之名出版，藉由少年默默與羅莎太太的關係，闡釋既悲傷又美妙的成長故事。小說中令人津津樂道的章節多不勝數，但最動人心弦的當屬這一席話——「比世界萬物都更老成的『時間』，每一步皆是那樣地緩慢。」

靜靜閱讀的過程，能提升思考的質量

事實上，我曾經是個不太喜歡看書的孩子。小時候，我總把媽媽唸給我聽的枕邊讀物當成搖籃曲，爸媽買的世界文學全集、民俗故事叢書也無法打動我。翻了幾本之後，我便開始逃避閱讀，後來也只顧著看書中圖畫，跳過任何有文字的部分。

對童年的我而言，閱讀是件令人厭煩的無聊事，我對書籍僅有的記憶，是學生時期躺在臥室床上邊看邊哭，韓國作家金河仁寫的愛情小說《早安》。徹夜看完第一本後，我為了趕快看第二本，半夜就衝到附近書店門口等著老闆開門營業的情景，至今猶在眼前。除此之外，我對其他書籍完全沒有印象。我從來不是個喜歡閱讀的愛書人，充其量就只是個喜歡幻想的浪漫主義者罷了。

如此排斥書籍的我，在二十歲左右開始愛上閱讀。讀大學時，只要一有時間我就會跑到圖書館，翻翻與主修科系相關的書本，詩或小說、散文等，隨手拿起什麼就讀什麼。一天來回借、還好幾本書，是我大學時期從未間斷的習慣。我喜歡把書夾在身側，總是把硬殼書皮讀到破爛不堪才肯罷休。心煩意亂時，我會習慣性地去一趟書店。曾住在大型書店旁的我，當時幾乎每天都賴在店裡不肯離開；稍微閒暇的日子則會直接挑一處角落，索性從早到晚坐在那兒看書。深陷書海的我，經常在離開時才驚覺自己竟然待了一整天。

我之所以如此瘋狂地閱讀，或許是想從書裡尋找關於「世界」的答案。置身渾沌的時間長河，任誰都需要一段靜靜度過的時光。閱讀的過程，能讓你我減少思考的量、提升思考的質。

然而，閱讀贈予我的禮物，不是對這個世界的答案，而是理解。一如英國小說家C.S.路易斯所言，「閱讀是為了讓人知道，我們從來不是只有自己。」閱讀，是訓練我們去理解與自己想法不同的人、尊重他人擁有的歷史。唯有帶著願意理解的心，我們才得以領悟，這個世界存在著太多灰色地帶，無從斷定非黑即白。所謂的「理解」，正是學會從悲劇中發現快樂。

《伴燈閱讀》——在深沉恬靜中悠遊書海

像書店一樣適合閱讀的地方，就是家了。如果說書店能讓自己與所有想看的書待在一起；家的好處，就是能讓自己完完全全與想看的書獨處。週末早晨，打開窗戶，一邊感受靜謐陽光、一邊享受閱讀；盡情看著一直想看的書，再配上一杯熱咖啡，是人生最值得珍藏的快樂。沒有任何噪音的寂靜深夜，是我最喜歡的閱讀時間，彷彿覺得自己與書百分百地融為一體，相當過癮。那樣的感受宛如獨自遨遊太空般自由、平靜，就像自己也化身成了書本。

有一幅畫，能恰如其分地呈現這種抽象的感覺——英國自然主義畫家喬治・克勞森（George Clausen, 1852-1944）的《伴燈閱讀》（*Reading by Lamplight*）。畫中呈現女子獨自閱讀的模樣，幽靜的畫面微微地蕩漾了心湖。

整晚坐在沙發上閱讀，不知不覺已是半夜了。經由純白窗簾縫隙透進屋內的鈷藍色光濃得發亮，全世界彷彿都被染成了藍色。托著腮的女人，全神貫注地看著書，隱約的燈光，溫暖了整個房間。

微低著頭緩緩閱讀的她，眼神堅定而真誠。輕輕翻過這一頁後，又將目光停留在下一頁，好久、好久……除了偶爾輕碰到方形書桌而發出的聲響，世界寂靜得聽不見任何聲音。這份深沉的恬靜，就像靜止不動的檯燈光線般，屏住了氣息。空氣緩緩流動，時間徐徐呼吸。無聲無息，心才更清晰。

《伴燈閱讀》，1909／喬治・克勞森
布面油畫，73.2×58.4cm，英國里茲美術館（Leeds Museums and Galleries）

喬治・克勞森受到室內設計師父親的影響，從小便在隨處可以接觸到設計與繪畫的環境中創作。他曾擔任皇家藝術學院的教授，並且受國家頒贈爵位，一生致力於繪畫、教學，也是享有財富、名譽與權威的成功畫家，最後於一九四四年秋天辭世，享耆壽九十二歲。有時看著某些畫家經歷各種磨難的悲慘人生，不免會感到憐惜、同情，而相較之下，克勞森的人生無甚曲折、顯得平穩許多，想必是個很有福分的人吧？平靜的心境，或許才造就了克勞森畫筆下如此平靜的作品。

此刻的你，正在為人生寫下什麼篇章？

仔細想想，曾有難以數計的書本伴隨過我。青春期時，時而揪住我心、時而狠狠打過我幾拳的書；如同行屍走肉時，常伴我左右的書；簡潔幾行文字，卻激發強烈共鳴的書；融合感性與理性視角，既能撫慰心靈、又能紓解煩憂的書；淒美卻能充分感受細膩文思的書……每一本書，都成為當時的我內心的支柱。

人的一生，或許就像在撰寫一本書吧！如同唯有咬牙撐過艱辛的過程，才能完成一本書，今天的我們，也在默默朝向那終將到來的人生句點而行。而此刻，我正為自己的人生撰寫著什麼樣的篇章呢？只希望下一個段落的開頭，不要太過悲傷……

關係

你和我，以及我們

唯有人與人之間溫暖的關心與愛，才能幫助我們熬過令人畏懼的艱辛世事；
彼此間體諒的話語、鼓舞的眼神，都能讓我們的寂寞不再寒冷，孤獨也不再難以支撐。

用關心與愛，讓彼此的孤獨更有溫度

即便連結人與人之間的繩索是那般脆弱，
但我們需要的或許正是從中學會，不去抗拒若有似無的相互依存，
以及就算當不了體貼的人，也別冷眼旁觀一切的態度吧。

置身人群之中，反而更覺得孤獨

與人相處，有時就像在開創某項偉大的事業般艱難。點到為止的膚淺溝通，難以縮短彼此的距離，只是把自己弄得像在上演偽裝秀，玩起「角色扮演」。即使同處在一個空間，依然深感相距甚遠；就算肉體相依，心靈卻時刻孤寂。既然誰也不屬於誰，索性不要越線，最終只能站在原地的我們……無論是否選擇袒露藏在某處的真心，此時此地，留下的都只有「孤獨」。

對話時，不肯直視對方的臉孔；身處相同之地，視線卻各自望著不同的方向；用重重高牆，圍起不願交流的心房……這就是你我如今的處境。人是與生俱來的「個體」，永遠不可能百分百地理解另一個人。究竟，我們還要孤單多久呢……？

即便擁有不錯的工作、溫馨的家庭、深愛的戀人、親近的朋友……心靈的空虛卻不曾間斷。孤獨，本就不是人可以選擇要或不要的「個性」。在世界上任何一處，孤獨的人，即永遠孤單；憂傷的人，即永遠憂傷。偶爾置身人群之中，孤獨更能施展所長——一如人與人即便分開，彼此的關係也永遠不會消失，親密相處後襲捲而來的孤獨感，更能把人推向難以逃開的萬丈深淵。

不讓人覺得孤獨的關係，究竟存不存在呢？自出生那一刻起，早已注定我們會與哪些人結緣、經歷哪些關係。只是身處於千絲萬縷的關係中，我們仍敵不過分秒湧升的孤寂。如同富麗堂皇只會突顯貧窮的悲傷，置身人群之中，也只會讓人變得更加孤獨。有時，甚至會覺得自己的孤獨不是因為置身人群之中，而是人本來就是那樣地孤獨。

物質越豐足，內心卻也越見空洞

隨著科技日益發展，人們也更加寂寞了。和家人吃飯時、在咖啡館和朋友聊天時，甚至好不容易放假時，我們的手上始終都拿著智慧型手機。我們擁有手機、電腦，卻沒有聊天的對象；我們擁有車子、房子，卻沒有一起吃飯的伙伴。一切都快速而便利，內心卻漫溢揮之不盡的空虛。

與人交流的渴望越強烈，內心的空洞也隨之擴大。美國社會學家大衛・理斯曼（David Riesman）稱此種現象為「置身人群之中的孤獨」，並在《寂寞的群眾》（*The Lonely Crowd*）一書中講述，即便現代人再怎麼努力不被孤立，終究得受發自內在的孤寂所苦。置身人群之中的我們，時常驚覺眼前的一切不是和諧而是孤獨，這正是今時今日最悲哀的寫照。

「人群之中的孤獨」是吸引許多畫家關注的創作主題。德國表現主義畫家恩斯特．克爾希納（Ernst Ludwig Kirchner）在《都市街道》（*Street*）中，以工業城市與不知名的群眾為背景，藉由昏暗、蕭瑟的氛圍與面無表情的人們，貼切表現了每個現代人都曾體會的孤獨感。美國畫家莉莉．富瑞迪（Lily Furedi）在《地下鐵》（*Subway*）中，描繪地鐵乘客低頭看報、擦口紅，彼此漠不關心的景象，與現今社會的面貌高度相似，讓人難以置信這竟是八十多年前的作品。

馬內的《女神遊樂廳的吧檯》（*A Bar at the Folies-Bergère*），描繪一名站在吧檯邊的女酒保，背景則為巴黎豪奢的社交場合。有別於喧鬧的酒吧氣氛，女子的表情鬱鬱寡歡。馬內嘗試以當時都會代表的巴黎華麗樣貌，與面色黯淡的女子表情做為對照，巧妙呈現「置身人群之中的孤獨」。

《候車》——疏離都市中的溫暖情緒

有些作品則透過感性的眼光，描繪「置身人群之中的孤獨」這樣的都會面貌，丹麥畫家保羅．古斯塔夫．費舍爾（Paul Gustave Fischer, 1860-1934）的《候車》（*Waiting for the Tram*）即為一例。這幅畫的背景是費舍爾經常描繪的哥本哈根街頭，鮮明生動地呈現都市人的生活。畫中藉由所有人齊聚一地，卻又像各處不同空間般的構圖巧思，闡釋現代人既拙於袒露內心、又始終渴望與他人相處的雙重性格；以並肩而立、視線卻不曾交會的景象，刻劃彼此需要、又不願先行靠近對方的現代人際關係。

費舍爾將人與人之間的關係藏進秋景，以感性的筆觸畫下都市獨有的風情。透過溫暖的情緒，改寫「置身人群之中的孤獨」，呈現與前述畫作截然不同的感覺。即便他所刻劃的「置身人群之中的孤獨」依然瀰漫疏離感，卻一點也不寂寞。

秋季已然蒞臨城市中心，每當秋風吹拂，隨之搖擺的樹枝與黃澄澄的落葉，便接二連三落地。一到清晨，人們陸續上街，朝著各自的目的地移步行進。不知是否聽聞即將下雨的消息，每個人手中都拎著一把傘。街道的另一端，有輛黃色電車經過，周遭則可以瞥見有名男子路過。站牌前的人們，排成了一直線，從裝扮時髦、頭戴華麗嫩綠色帽子的婦女，與脖子上圍著白色毛皮的女人所穿的厚重衣裝，不難感受哥本哈根微寒的秋意；身著藍色洋裝的女孩，泛紅的臉頰與溫順的姿態，無聲地表現出迎接嶄新一天的興奮。後方可見戴著貝雷帽的年邁紳士與街坊正在聊天，從男子手插口袋、略為傾斜的站姿，可以得知兩人是十分自在、坦然地相視交談。真是一幅寧靜卻不失活力盎然的景象。

一八九一年前往法國巴黎學習繪畫的費舍爾，在當地深受印象派薰陶。他早期的作品，因為受陰晴不定的北歐天氣所影響，多以灰濛濛的昏暗風景為主。展開巴黎留學生活後，開始能在他的畫作中見到陽光灑落的景色，處處洋溢明亮、鮮艷的氣息。

《候車》，1907／保羅．古斯塔夫．費舍爾
板面油畫，40.3×31cm，私人收藏

《候車》雖然是費舍爾留學返國後，經過很長一段時間才完成的作品，卻仍清晰可見印象派的痕跡。用藍色調表現籠罩於霧氣中的建築，令人聯想起馬內；以按壓畫筆的方式加重落葉厚度，為高更擅用的厚塗法（Impasto）；運用力道適中的筆觸，將地板描繪得像是反射光線，則與卡耶博特相當類似。費舍爾的畫恰到好處地調和光、影、色，創造了「有溫度的孤獨」，也讓我們藉此感受到現代社會甜苦參半的微妙。

孤獨，偶爾也能成為相互理解的橋樑

義大利有一句俗諺：「憧憬完美兄弟的人，永遠只能當個獨生子。」每個人都因為自己或多或少的不完美、孤獨、痛苦，而需要彼此。只要我們活著的一天，孤獨仍會持續蔓延；只不過，孤獨偶爾也能因此成為相互理解的橋樑。

在這趟名為「人生」的孤獨旅程中，時而消逝的寂寞，最終成了彼此的暖氣。唯有人與人之間溫暖的關心與愛，才能幫助我們熬過令人畏懼的艱辛世事。體貼關懷的話語、真心激勵的眼神、由衷給予的鼓舞，都能讓我們的寂寞不再寒冷，孤獨也不再難以支撐。

即便連結人與人之間的繩索是那般脆弱，但我們需要的或許正是從中學會，不去抗拒若有似無的相互依存，以及就算當不了體貼的人，也別冷眼旁觀一切的態度吧。如同「與人分享的快樂會加倍，與人分享的悲傷會減半」，與人分享的孤獨，或許也能變換成不同樣貌。

以面對取代掩蓋，溫柔地療癒傷痛

若想根治傷痛，就要願意直視它，追根究柢地找出源頭。
一如掩蓋傷口只會留下更大的疤痕，持續不斷為內心的傷痕擦藥，
看著它逐漸結痂，是你我都必須學習的過程。

輕率的言行，往往形成自私的傷害

「人不必那麼善良，好心不一定有好報。」滿身瘡痍的她，以哀戚的神情說道。欲言又止的雙唇、低沉幽怨的聲調，在在陳述著她的悲傷。

她是我的多年好友，向來都是如此評論「好人」的：「善良，的確能讓你的人生過得心安理得一些，可是根本毫無用處。」無論旁人怎麼說，都動搖不了她冰冷的心。人生在世，我們心中那塊粗糙的盾牌，曾抵擋過無數利刃襲擊。當突如其來的衝撞傷得我們渾身顫抖時，沒能及時治療的傷口，往往會隨著置之不理的態度而日漸潰爛。不為人知的傷痛記憶，偶爾會在我們抬頭挺胸之際，引發出更加撕心裂肺的痛楚。我們到底還有多少能耐、可以承受多少傷痛呢？

我們總因為看不見他人的傷痛，而顯得態度輕佻；即便不是有心如此，卻總認為只有自己的傷痛，才是真正的傷痛。每個人受傷的基準不同，就算再怎麼小心避免，仍每每因為我們把事情想得太過簡單，忽略他人細微的反應，無形中傷害了別人而不自知，用冷漠的語氣應對，以銳利的言辭蹂躪對方脆弱的心。衝口而出的話，成了帶刺的忠告；失控的愛戀，拉開了你我的距離。把真心話通通吞了回去，轉而吐出一句無情之語，最終摧毀彼此的信任。

過分拙於辭令，對雙方都是自私的傷害，結果演變成一段破碎的關係。即使知曉彼此的心意，仍選擇以話中帶刺的方式表達，非得等到互生嫌隙、在對方心上烙下傷痕，才深感愧疚。哪怕坦然揭開傷口，也會因為對方的不甚在意而傷得更深，使彼此終究成為永遠不再接觸、無法重返過往的兩座浮島。

叔本華不也這麼說過嗎？「經歷過許多次分開時的寒冷，與靠近彼此時痛徹心扉的刺痛，最終，我們學會了『保持距離』。」由每個人身上的傷痛串起的這個世界，血淚斑斑。

傷痛也能變幻為藝術，造就出偉大作品

有時，傷痛也能轉換成創意。藉著化身為孤獨、狂傲、悲戚的情緒，而造就出偉大的作品，這正是傷痛變幻成藝術的瞬間。

挪威表現主義畫家愛德華・孟克（Edvard Munch），五歲時母親罹患肺結核過世，姐姐又於十幾年後染上同樣的病死去，在年幼的孟克內心留下嚴重創傷。恐懼死亡的他，藉由《吶喊》（*The Scream*）、《母親亡故》（*The Dead Mother*）、《焦慮》（*Angst*）等畫作，投射自己的神經質與癲狂情緒。

墨西哥畫家芙烈達・卡蘿（Frida Kahlo）一生飽受嚴重的身體與精神疾病折磨，因此透過《受傷的鹿》（*The Wounded Deer*）、《一些小刺痛》（*A Few Small Nips*）、《我的誕生》（*My Birth*）等作品，寫實記錄自己的一生，進而昇華成偉大的藝術。

美國印象派畫家艾德蒙・查爾斯・塔貝爾（Edmund Charles Tarbell, 1862-1938）自小就承受遭到雙親遺棄的傷痛——兩歲時父親因罹患傷寒離世，再婚的母親隨即離塔貝爾姐弟而去。之後由爺爺扶養成人的他，終其一生都無法平撫這份痛楚。隨著時間流逝，塔貝爾在二十六歲那年，與美國波士頓多爾切斯特區的富豪之女艾梅琳結婚，婚後兩人生下了四個孩子。如果將他以家庭為題的創作集聚一堂，堪稱是一部塔貝爾家族編年史。或許，他是透過自己所組織的家庭，一點一滴地治癒在原生家庭遭受拋棄的傷痛。心靈受到撫慰的他，筆下描繪的線條真摯而小心翼翼。

《湛藍面紗》——送給傷痕累累者的素雅獻詞

沒有任何人，唯有女人飄逸的面紗。為了藏匿始終無法擺脫的記憶，身體習慣性地掩蓋傷痛。一闔上雙眼，被幽禁起來、不知何時會再現身的傷痛，揮之不去地糾纏著她。那些來不及抹滅的未癒傷痛，因為過於深重，至今仍血淋淋留在原地，她因此飽受折磨，獨自與這些殘留的餘黨抗爭。低聲吶喊著無從坦然釋放的痛楚，淚水也像被強迫似地湧出……女人的眼淚不斷滑落，神情卻意外平淡。冷靜至極的她，更顯危險；不為所動的她，更顯渴切。

在畫作《湛藍面紗》（*The Blue Veil*）中，塔貝爾藉由披覆面紗的女人，輕描淡寫掩藏在臉孔底下的內在傷痛，如同一段素雅的獻詞，送給那些傷痕累累的人。看著這幅畫，除了「傷痛」之外，無法浮現出其他詞彙。女人的眼神與表情明顯受了傷，身軀也遍體鱗傷。如果有人問我：「為何如此肯定？」我會告訴他，「因為那就是我。」實實在在的感受，無需任何理由。

看畫，就像在發掘自己的內心世界。繪畫，遠比它能表現的含蓄許多，正如我們能從內心發現的，無限卻也有限。有人覺得是受傷的女人，有人覺得是神祕的女人；有人覺得是滿懷憂傷的女人，有人覺得是懷抱夢想的女人。解析，因人而異。只不過，每幅畫都存在著一個共同點——我。畫家完成了畫作，而我看見了這幅畫。

別放任既存的傷痛，乾涸了靈魂

每一種傷痛，都會不知不覺地寫在人們臉上。我們時時築起驚弓之鳥般的防衛心，戰戰兢兢地深怕受傷，放任既存的傷痛，乾涸了靈魂。事實

《湛藍面紗》，1899／艾德蒙．查爾斯．塔貝爾
布面油畫，73.7×61cm，美國舊金山藝術宮（Palace of Fine Arts）

上，被傷痛馴服是件很可怕的事。傷痛會蠶食鯨吞我們的身、心，最後是靈魂。懂得積極面對傷痛，能讓我們化身為更成熟、更有智慧的人；然而，大部分的傷痛，卻總是被悲觀的處理方式轉化成病態的防衛心與傷害，導致整個世界不進反退。

我沒辦法說出「過一段時間，就會沒事」這種理論，畢竟有些傷痛，非但永遠不會消失，還會隨著時間更為鮮明。每一種傷痛，都會以非常緩慢的速度癒合；而世上也存在著無法癒合的傷痛，即使痕跡變得模糊，卻始終不會褪去。

察覺身上的傷痕後，才頓悟自己受過多少傷的我們，一如既往地愚蠢；因為不被關切，暗自處理嵌在心裡的傷痛，一如既往地淒涼。

為了克服傷痛，採取截然不同的積極態度固然是好事；但若想根治傷痛，最重要的是睜大雙眼直視它，追根究柢地找出源頭。一如掩蓋傷口只會留下更大的疤痕，持續不斷為內心的傷痕擦藥，看著它逐漸結痂，是你我都需要學習的過程。

人的一生，或許就是在學習從層層疊疊的傷口上，蒐集名為「結痂」的勳章。而我們能做的，是透過溫暖的眼神，體諒與擁抱彼此的傷痛。希望此時此刻，藉由某個「戴著面紗的女人」，也能療癒你內心的傷痛。

致青春，謝我多年的摯友

能夠遇到不吝忠告、真心體諒的朋友，是人生的一大福分。
即便置身倏忽流逝的歲月長河，難免感到失落、空虛，
只要過程中有伴相隨，對我們而言已是值得倚靠的幸福。

純真的年少情誼，如佳釀般越陳越香

綠意盎然的初夏，越來越接近她的預產期了。傍晚時分，我坐在她家附近的咖啡館看書，幾分鐘後，一手扶著即將臨盆的肚子、一手撐著腰的她，走進店裡。一時興起的約會，從結婚生子、想去旅行的地方，到未來的人生規劃，轉眼間我們聊了好幾個小時，你一言我一語地，時而捧腹大笑，共度溫馨的相聚時光。

相識二十年，熟知各自經歷的我們，無須刻意交代彼此關係，說話也不用拐彎抹角。成長的路上，我們同甘共苦、相知相惜，在時光荏苒中一起成長。雖然現在多半是邊喝著咖啡、邊回憶起「那時候我們⋯⋯」，但對於未來的生活，我們依然懷抱著夢想。自青春序章即登場的朋友，此刻仍以從未改變的模樣待在我身邊，著實是件值得感激的奇蹟。

曾因結婚數年都未懷孕而煩惱不已的她，在經過長時間努力後，終於得到了寶貴的孩子。伴隨喜悅而來的，卻是生理與心理的折磨。由於嚴重害喜，懷孕後的她反而更形瘦削，身體的劇烈變化使她倍感壓力，整個人無精打采，精神上也極度敏感。看著她的模樣，讓我十分心疼。

「腰還好嗎？胎動得很厲害嗎？有沒有哪裡不舒服？有想吃什麼嗎？」面對我連珠炮般的發問，她微笑說道：「我想去旅行。」

有些美好，永遠只存在記憶之中。從小便熱愛旅行的我們倆，總喜歡心血來潮出發的行程。旺盛的好奇心遠勝於錢包深度，根本不把旅途中可能遇到的危險放在眼裡。

有一次，我們去了江原道的山村，在清涼的溪谷游泳、在叢林賞花……然後躺在暖呼呼的渡假平房裡吃著馬鈴薯和玉米，入夜後興奮地一起放煙火。雖然是很久以前的事，這些回憶卻在歷經漫長時光後更顯鮮明，栩栩如生得像是此刻正在眼前上演一般。

約翰・辛格・薩金特——捕捉盛放剎那的「瞬間美學」

讓我憶起當時情景的畫，是美國印象派畫家約翰・辛格・薩金特（John Singer Sargent, 1856-1925）的《康乃馨、百合、百合、玫瑰》（*Carnation, Lily, Lily, Rose*）。這幅充滿詩意的作品，其實是以英國作曲家喬瑟夫・馬欽齊（Joseph Mazzinghi）所寫的流行歌曲《花冠》中的副歌歌詞為名。

繪畫，與具有濃縮性、象徵性的詩一樣，敏銳地濃縮某些時刻的情感，轉而以優美的形式呈現，這是兩者相當類似的部分。看著薩金特以充滿詩意的感性筆觸所描繪的畫作，不禁讓人覺得，他其實是一位被稱呼為「畫家」的「詩人」。

光線朦朧的向晚時分，兩名少女提著燈籠佇立於繁花綻放的庭園。散發清新氣息的綠草與盛放的花朵填滿畫面，搭配瀰漫於空氣中的林野神秘感，巧妙營造出惹人憐愛與奇幻美妙的氛圍，宛如置身夢境。

和煦的綠光色調，溫暖了空氣；隱約的燭光，映照出少女最美的瞬間。少女身著純白衣裳、雙頰泛紅的模樣，更顯純潔；若隱若現的情景，帶領你我回溯往昔。

這幅畫的背後有一段特別的故事。當時在法國巴黎深受注目的年輕畫家薩金特，以一幅為古特霍夫人（Madame Gautreau）所畫的肖像畫《X夫人》（*Madame X*）參加沙龍展後，即因畫中性感滑落的肩帶引發軒然大波。

飽受懷疑目光的他為了擺脫口舌是非，決心前往英國倫敦。後來，他因為和朋友在泰晤士河戲水，跳水時不慎傷及頭部，被緊急送往附近的科茲窩地區接受治療。當地正好有座年輕畫家齊聚休憩的藝術村，薩金特深深為其寧靜、優美的村景而著迷，毅然決定待在那裡度過餘夏。

《康乃馨、百合、百合、玫瑰》，1885-1886／約翰・辛格・薩金特
布面油畫，153.67×173.99cm，英國倫敦泰特不列顛美術館（Tate Britain）

有一天傍晚，薩金特見到插畫家朋友佛瑞德里克・伯納德（Frederick Barnard）的兩個女兒提著燈籠穿梭於庭園間，霎時為此醉人的景象所傾倒。為了留住眼前所見，他隨即敞開畫布。然而，薩金特作畫的過程卻立刻面臨嚴重考驗。他想留住的傍晚景象，是介於白天與黑夜之間的短暫時光，若想將此情此景收進畫裡，實屬不易。他在寫給妹妹的信中提及：「這是一個困難到讓我焦慮的創作主題，想重現如此美麗的色彩著實難上加難……而且當下的光線只持續了十分鐘不到……」

那年夏天，薩金特傾盡全力在相同時間、相同地點作畫，卻始終沒能完成作品；隔年他重返故地，足足花了兩年才大功告成。一年後，他在英國皇家藝術研究院的第一次個展上首度發表這幅畫，不但深獲好評，也成為他東山再起的跳板。《康乃馨、百合、百合、玫瑰》是薩金特極具代表性的作品之一，至今仍受到許多人喜愛，他將畫家的熱情與執著，化成了盛放的剎那，堪稱是「瞬間美學」的代表傑作。

朋友的存在，是人生穩固的支柱

薩金特筆下的少女們，是完美呈現「純潔」的媒介。澄淨、清澈的少女樣態，猛烈地啟動我們重返童年時期的開關。看著畫，發現那個單純的我與現在的我多麼不同，又驚覺那個單純的我與現在的我多麼相同……透過畫，讓我們看見童年的自己，想起那段早已模糊遙遠的時光。各自經歷許多故事的少女們，即便經過漫長歲月洗禮，依舊是未曾改變的摯友；回憶朦朧的兒時情景，仍然教人流連忘返。

我熱愛這幅畫的原因在於，它引領我回到珍藏於內心的過往樣貌，單憑這一點，便足以讓我願意走進畫裡。繪畫，從來不會放過回憶的每個瞬間；再私密的時刻，也能從繪畫中反映，帶著你我抵達難以碰觸的心靈深處。即使悠長時光流逝，每當轉頭見到昔日點滴，彷彿自己也乘著畫作回到過去，又有了什麼新的發現。即便只是一時意亂情迷的幻想，若能喚醒心底早被輾碎的寶貴回憶，不也是難能可貴嗎？

一如日落月升，孩子終將長大成人，一切都在轉瞬之間。即便置身倏忽流逝的歲月長河，難免感到失落、空虛，只要過程中有伴相隨，對我們而言已是值得倚靠的幸福。

真的很幸運、也很感激，多年來始終有她陪在我身邊。朋友的存在，是我最穩固的支柱；與朋友共度的歡樂時光，成為我人生最有力的能量。能夠遇到永遠不吝忠告、真心體諒、默默付出的她，是我的一大福分。看著薩金特畫中的少女們，讓我再次確定，她就是自己生命中無可取代的「知交好友」。

愛的顏色，是改變人生的顏色

人生和藝術一樣，只要以愛為背景，一切都可能發生。
任何人都擁有愛，只是能愛的時間並不多；
而我們能做的，就是學會朝著愛的方向前行。

我們為愛情沉醉，也因為愛情變得成熟

某些東西之所以存在，正是因為有人懇切地渴盼。簡單來說，愛情，就是為了渴望得到愛情的人而存在。愛情本身並不浪漫，而是因為憧憬浪漫愛情的人，愛情才變得浪漫。這也成了我們看愛情電影的原因。

從小我就喜歡看愛情電影。讓人深深為安妮公主著迷的《羅馬假期》（*Roman Holiday*），既感性又不脫現實的《秋水伊人》（*Les Parapluies de Cherbourg*），即便經過歲月洗禮，細膩的情節也未曾老去。隨口哼上一段 *She* 這首歌，就能一股腦地把潛藏在我體內，關於《新娘百分百》（*Notting Hill*）的所有浪漫細胞通通喚醒，這部電影總教人百看不厭。港片《甜蜜蜜》刻劃命中注定的相遇與重聚，讓我重新憶起早已模糊不清的初戀。讓人牢牢記住 "Hello, stranger?" 這句台詞的《偷情》（*Closer*），

我也喜歡得看了好幾次舞台劇版本。韓片《高空彈跳》中，泰熙和仁宇在日落的海邊，隨著蕭士塔高維奇的《華爾滋第二號》起舞的模樣，至今仍像一張照片般，留存在我內心一隅。

每隔九年就會推出續集的「Before」系列，堪稱當代最具代表性的愛情電影。以《愛在黎明破曉時》（*Before Sunrise*）、《愛在日落巴黎時》（*Before Sunset*）、《愛在午夜希臘時》（*Before Midnight*）三部曲講述傑西與席琳的愛情故事，正因橋段平凡無奇，反而顯得更為獨特。因為太喜歡這系列電影，我甚至跟著《愛在黎明破曉時》兩個主角的腳步，走訪了電影拍攝地點——奧地利維也納的無人街道。火車上初次邂逅的男女，閒散地在異國巷弄間漫步聊天的畫面，至今仍讓人印象深刻。唱片行 Alt & Neu、看手相的 Kleines Café、藉玩笑的艷遇電話彼此告白的 Café Sperl，都是值得一再回味的場景。而最令人難忘的，當屬兩人在夜店裡玩著彈珠台時的對話：「愛情，就像兩個害怕孤單的人逃避的行徑。」

經歷了做夢般的一夜後，他們在離別時相約再見。一如《愛在黎明破曉時》這個片名，假如我們的人生也有破曉之時，會不會就是在遇見愛情之前呢？他們的相處雖然短暫，卻已足夠完整地經歷愛情。

世上有許許多多的愛情電影，能在心中占有一席之地的卻是每人各有所好，正如我們都曾經歷愛情，對愛情的回憶卻大相逕庭。藉由不同電影中的主角，我們理解別人感受愛情的濃淡、方式、速度，並學著看看與自己情況相仿的角色，再以客觀的角度回頭審視自己。

找不到愛情解答而徬徨的日子，我們總能透過別人的愛情，尋獲解決問題的線索，體會原本無法理清的心緒，領悟了女人與男人生而不同的本質、每個人不可能存在相同思考方式的道理。在電影角色身上，我們發現了未曾明白的分手原因，頓悟了婚姻不是愛情的完成品，離別也非愛情的失敗作。踏遍柳暗花明，我們總算學會了，如何真心去愛一個人。

愛情電影帶來的正面影響，並非讓觀眾為愛沉醉，而是釀成我們看待愛情的成熟。我們總是愛著一個人，卻又畏懼受傷，而在愛情面前躊躇猶豫，時而計算、時而計較、時而渴望擺脫以往走過的路……經歷無數次美妙、熾熱的愛情，在眼前一點一滴崩塌殆盡後，我們懂得了愛情需要小心翼翼、持續不斷地呵護照拂。再怎麼珍重的愛也不可能永保熱度，悸動後隨之而來的親密、熟悉、離別……終於讓我們學會了愛情，而在這其中經歷的一切，也成就了此時此刻的我們。

馬克・夏卡爾——用夢境的色彩描繪愛的人生

體驗過電影情節般愛情的馬克・夏卡爾（Marc Chagall, 1887-1985），是出生於俄羅斯的法國畫家，他的創作主題永遠離不開愛情。夏卡爾在第一次世界大戰期間返回法國，並在維捷布斯克與名為貝拉的女子結婚。貝拉脫俗的外貌與氣質，立刻擄獲了夏卡爾的心，她的一生也就此成了夏卡爾畫中的主題。描繪戀人沉醉於愛河的《散步》（*The Walk*）、戀人飛越村莊的《城鎮上空》（*Above the Town*），以及戀人捧著花束親吻的《生日》（*The Birthday*）等畫作中，都能見到貝拉的身影。其中又以《艾菲爾鐵塔的新婚夫妻》（*The Couple of the Eiffel Tower*）最能傳達出新婚的喜悅。這幅畫後來被掛在夏卡爾晚年住所的壁爐上，可見是他十分珍愛的作品。

這幅畫以艾菲爾鐵塔為背景，描繪甫完成結婚典禮的新郎、新娘輕飄飄地浮在半空中的景象。山羊帶著祝福的心演奏優美旋律，得到捧花的朋友化身天使飛向天際，新婚夫妻乘著象徵多子多孫的紅冠公雞前往伊甸園。新娘手中拿著比喻未來的藍色扇子，看著環抱新娘腰際正在細語的新郎模樣，不難感受他彷彿贏得全世界的心滿意足。一起飄浮在空中的新婚夫妻，完整呈現兩人經由婚姻融為一體的幸福，有如夢境般美妙。

我想起初次在巴黎龐畢度中心看到這幅畫時，即深深為其華麗迷人的色調而傾倒，不由得駐足許久。夏卡爾並非將肉眼所見的顏色放進畫作，而是使用在夢境與幻想世界中所見的色彩作畫，尤其透過藍、黃、紫、紅等互補對比的搭配，更顯色調的豐富、艷麗。

就像夏卡爾曾說過：「人的一生，只有一種真正賦予了生命與藝術的顏色，那就是愛的顏色。」看著他畫中各種色彩的融合，眼睛與心靈也隨之豁然開朗。乘載愛情的繽紛色彩，搭配明快的筆觸，令人大感暢快。

越是背負著沉重與辛苦，越是需要愛

夏卡爾在自傳《我的生涯》（*My Life*）中如此寫道：「我感受到了，我日後要走的人生旅途，都將與貝拉一起前行。唯有她，才是我的妻子。」

《艾菲爾鐵塔的新婚夫妻》，1938／馬克·夏卡爾
布面油畫，150×136.5cm
法國巴黎龐畢度中心（Centre Pompidou）

圖片來源：Alamy

一見鍾情的夏卡爾與貝拉，如膠似漆地共度了三十多年。在一九四四年秋天，貝拉因感染不知名的病毒驟然離世，狠狠衝擊了夏卡爾的人生。跌入絕望深淵的他，足足有九個月的時間提不起畫筆，隨後度過了數年黑暗、悲痛的歲月。

夏卡爾親手在貝拉的墓碑上作畫，並寫下這段文字：「她的一輩子，都是我的畫。」正如這獻給她的最後一句話，對夏卡爾而言，貝拉是他的藝術泉源，也是他永遠的繆思。

窮困的童年、被祖國拋棄的創傷、戰爭的殘酷、猶太人所經歷的苦痛、納粹的威嚇、長年的流亡生活、對故鄉的思念……即便走過這麼多風風雨雨，「幸福」卻不曾消失在夏卡爾的作品中，正是因為他有深愛的妻子貝拉常伴身旁。

即使置身於總把人壓得喘不過氣的現實生活，愛依然無所不在。越是背負著沉重與辛苦，越是需要愛，因為能將你我救出痛苦深淵的，終究是愛。一如夏卡爾所言，「人生和藝術一樣，只要以愛為背景，一切都可能發生。」愛擁有將不幸現實轉化成幸福人生的力量，我也深信這就是愛之所以偉大的原因。

就像夏卡爾和貝拉的愛所傳達的信念，任何人都擁有愛，只是能愛的時間並不多；而我們能做的，就是學會朝著愛的方向前行。

真愛相伴，一切無所畏懼

儘管遭逢世人的批判、身陷走投無路的貧困，
莫內仍能堅守自己對藝術的信念，只因有卡蜜兒在他身邊。
她用愛平撫了他疲憊的心，直到死去前仍用溫暖的微笑安慰著他⋯⋯

因為深愛彼此，任何困苦都能攜手克服

世上存在著許多種愛：清純的初戀、刻骨銘心的愛、無法實現的愛、和睦的兄弟情、溫柔的父愛、犧牲奉獻的母愛、濃烈的同性愛、美好的人性之愛⋯⋯人生在世，終將經歷難以數計的愛。有些人選擇了深具說服力的方式，來證明何謂真愛，而法國印象派畫家克洛德．莫內（Claude Monet, 1840-1926）與他永遠的愛人卡蜜兒，即為一例。

當時二十五歲、居於法國巴黎的莫內，正在尋找能擔任自己畫作模特兒的女子，而二十八歲的卡蜜兒．唐斯約（Camille Doncieux），因此與莫內相遇。莫內對美麗的卡蜜兒一見鍾情，兩人墜入愛河後，攜手共度了一段宛如夢境般的愛戀時光。然而，幸福的日子沒有維持太久，這段愛情隨即面臨重大危機。由於當時從事模特兒的女性，大多是妓女或舞女，

莫內家族因此極力反對出身貧寒的卡蜜兒成為家中一分子。在未經父母同意下結婚，無疑已是在挑戰父母的權威，聽聞卡蜜兒甚至早已懷有身孕，莫內的父親更是火冒三丈，立即斷絕所有對他的經濟援助。

身處十九世紀的莫內，若想以畫家身分活躍於藝文界，勢必得在沙龍展獲獎。而與當時主流截然不同的印象主義，堪稱是動搖西洋美術根本的革命運動，想讓世人接納如此新穎的變化，著實不易，因此莫內不免要面臨頻頻落選的窘境。即便如此，兩人的愛情卻絲毫不受影響，反而變得更加堅定。

在艷陽下動也不動地曝曬好幾個小時，過程雖然辛苦，但只要想到能讓丈夫在沙龍展上嶄露頭角，身為模特兒的卡蜜兒總是甘之如飴。窮困潦倒的這對夫妻，不僅繳不起電費，還時常因為買不起顏料而被迫中斷作業，三天兩頭就會上演債主登門來搶畫抵債的戲碼。擠不出母奶的卡蜜兒，甚至要四處乞討。付不出房租的他們最後選擇了離開巴黎，但是莫內和卡蜜兒始終深愛著彼此，內心的幸福感也從未減少。

從當時莫內寫給好友兼贊助人讓・弗赫德希克・巴齊耶（Jean Frédéric Bazille）的信中，即可見他的心境：「現在的我，被自己摯愛的一切圍繞。夜晚時，摯愛的家人會點亮燭火，等著我回到那個小小的家。」無論遭逢再大的困境，莫內與卡蜜兒始終過著相知相惜的幸福生活。

看著莫內與卡蜜兒，再回頭看看我們面臨的苦難與試煉，才發現這一切在真愛面前，根本不值一提。我不禁開始思考，自己是否太執著於追求一些沒有意義的事物呢？是否錯過了真正寶貴的一切？當一個人深愛著另一個人時，才能真正做到忘卻自我的無私。

克洛德・莫內——以變幻光影勾勒與家人共度的幸福

莫內以卡蜜兒為主題共創作了五十六幅畫，在他的代表作《花園中的女人》（*Women in the Garden*）、《卡蜜兒在特魯維爾海灘》（*Camille on the Beach at Trouville*）、《罌粟花田》（*Poppy Field*）等，都能見到「御用」模特兒卡蜜兒的身影。一八七五年創作的《撐傘的女人》（*Woman with a Parasol*），藉由畫筆勾勒與家人共度的幸福時光，尤其最能呈現莫內心中的情意。

莫內和家人一起出外遊玩，絢爛陽光肆意灑落，處處綠意盎然。和煦暖陽環抱著身軀，花香拂過鼻尖，心境頓感舒坦暢快。在隨風搖曳的草叢間，見到了讓與卡蜜兒的身影。撐著綠傘漫步的卡蜜兒，迎著陽光與微風，臉龐覆著薄紗的模樣有些模糊，她原本正要往前走去，卻因白色裙襬隨風起舞，而暫時停下腳步。回眸凝望莫內的卡蜜兒，雙頰暈紅；後方則是戴著可愛帽子、正在興奮玩耍的兒子讓（Jean Monet）。

也許就在這一剎那，莫內領悟到了自己正身處此生最幸福的時光吧！在瞬息萬變的流動雲朵下，莫內一家人度過了愉悅的一刻。

《撐傘的女人》，1875／克洛德・莫內
布面油畫，100×81cm，美國華盛頓國立自然史博物館（National Museum of Natural History）

與家人一起散步時，莫內深深為眼前的靜謐景象歡欣不已，隨即以最快的速度將所見收進畫中。當時莫內的腦海裡滿滿都是「光」，曾表示自己畏懼黑暗甚於死亡的他，相當重視並執著於光線的運用和表現。以這幅畫來說，即可看到他煞費苦心地捕捉著當下的光線。流動的雲、飄盪的風、溫煦的陽光……瞬間晃現、又瞬間消逝的光線，處處可見於此畫的筆觸中，堪稱是莫內活用印象派技法的最高境界之作。

完成這幅畫時，經濟困難的問題已逐漸緩解，莫內的父母也接納了卡蜜兒，對他們而言，人生滿是幸福之事。但好景不常，嚴峻的考驗又再度向兩人襲來。卡蜜兒的身體健康每況愈下，子宮腫瘤細胞擴及全身，已經病入膏肓，莫內卻只能眼睜睜看著摯愛的妻子痛苦地走向死亡。不久之後，卡蜜兒便撒手人寰。

莫內為珍藏摯愛妻子的最後樣貌，將卡蜜兒的臨終瞬間留在畫中，完成了代表作《臨終前的莫內夫人》（*Camille Monet on Her Deathbed*）。他為這幅作品寫下了一段話：「我深深愛過、深深珍惜過的人，正在死去……即將永遠離我而去的妳，我想要畫下妳的最後一面。」

她是光、是靈感、也是永遠的摯愛

在卡蜜兒死後七年的某一天，莫內和第二任妻子愛麗絲所生的女兒蘇珊娜，一起在河邊散步。他在陽光下撐著綠傘漫步的蘇珊娜身上，發現了卡蜜兒的影子，因而創作了兩幅畫，也就是《望向左方，撐傘的女人》（*Femme à l'ombrelle tournée vers la gauche*）和《望向右方，撐傘的女人》（*Femme à l'ombrelle tournée vers la droite*）。這是卡蜜兒死後僅專注於風景畫與靜物畫創作的莫內，時隔七年的人物畫作品。

不過，莫內終究沒有畫出女人的面貌，而是以陽傘的陰影遮掩臉部、含糊帶過。畫中的主角雖然是女兒蘇珊娜，實為卡蜜兒。在卡蜜兒面前永遠是個純情男孩的莫內，將自己對她的深深思念化成了作品中的燦爛光芒。或許，莫內極其渴望想畫出的，並不是當下的光，而是他眼中更加光采奪目的卡蜜兒。

「卡蜜兒死後，印象派也隨之沒落。」對莫內而言，卡蜜兒就是他的光，她是靈感的泉源、是永遠的摯愛、也是光，就是這麼單純。儘管遭逢世人批判、身陷走投無路的貧困，莫內仍能堅守自己對藝術的信念，只因有卡蜜兒在他身邊。她用愛平撫了他疲憊的心，直到死去的當下依然用溫暖的微笑安慰著他。當全世界都恥笑莫內時，唯有她不離不棄、給予支持；當莫內山窮水盡時，唯有她從不吝於露出燦爛笑容、長相左右。這樣的卡蜜兒，教莫內如何能夠遺忘？

為了才華洋溢的丈夫，像一抹影子靜靜守在身旁的女人——卡蜜兒，在她深愛之人的畫筆下，化成了亙古不滅的光芒。

我們都忘了，母親的另一個名字

太愛彼此，所以最常爭吵；極度親密，說起氣話來也毫不留情。
即使最為相像，卻往往無法理解彼此；
即使共享一切，卻在真正需要溝通時，無從坦露心意。這就是母女的關係。

母親和女兒，是朋友、姐妹，也像情侶

陽光燦爛的週末早晨，從窗邊溜進的和煦氣息，讓人自動自發地睜開了眼睛。我走出客廳，望見正哼著歌一邊替盆栽澆水的媽媽。一片、一片地，她摘掉枯萎的葉子，專注地拭淨花盆，讓人切實感受到她對花的疼惜。過了一會兒，媽媽捧著一盆開得燦爛的粉紅小花走了過來，以略顯激動的神情，含蓄地炫耀著。見她快樂得像個小女孩似地，我也露出了欣慰的笑容。

只是不知怎地，在我內心一隅也同時湧現了些許難過的情緒……我們總是忘卻了一件事實：媽媽也是個女人，媽媽也有她自己的需要，媽媽不會永遠陪伴在我們身邊。

母親和女兒的關係，是非常特別的。因為太愛彼此，所以最常爭吵；由於極度親密，說起氣話來也毫不留情。即使最為相像，卻往往無法理解彼此；即使共享一切，卻在真正需要溝通時，無從坦露心意。這就是母女的關係。

看到成長得亭亭玉立的女兒，母親既感驕傲卻又掛慮，一面支持女兒勇敢逐夢，卻又期待她順應傳統平淡生活就好。看著為家庭犧牲奉獻的媽媽，女兒雖然暗自敬佩，但又因為母親沒了自我而生氣……時而抱怨，時而不捨，時而歉疚。母親和女兒，有時是朋友、有時是姐妹、有時是情侶，終其一生都在彼此愛恨交織的關係中來回拉扯。

瑪麗．卡薩特——寫實中更顯真誠的親子之情

美國印象派畫家瑪麗．卡薩特（Mary Cassatt, 1844-1926）描繪過許多母女相處的景象，媽媽與孩子親密相隨的溫馨畫面，是她傾盡一生心力關注的創作題材。例如，《船上聚會》（*The Boating Party*）刻劃母子一同乘船的祥和情景，還有媽媽帶著關愛眼神凝視懷中嬰孩的《綠色背景前的母子》（*Mother and Child Against a Green Background*），如實呈現家庭共聚幸福時光的《浴後》（*After the Bath*）等。其中尤以藉由平凡日常輝映溫暖母愛的《為孩子洗浴》（*The Child's Bath*），最具有代表性。瑪麗．卡薩特就如其「母愛畫家」的稱號一般，總能以溫暖色調與柔和筆觸，完美傳達親子之間的細膩情感。

在《為孩子洗浴》這幅畫裡，媽媽讓孩子安坐在自己的膝上，以左手環抱著孩子，再用另一隻手替他清洗著小腳丫。孩子低頭看著媽媽替自己洗腳，並用一手拄著媽媽的膝蓋以支撐自己的身體。媽媽對著孩子喃喃細語，孩子則乖巧坐著，專心地聆聽。

替體型嬌小、胖嘟嘟的孩子洗著腳的媽媽，舉手投足間滿是小心翼翼，掛慮著水會不會太冷？孩子會不會著涼？姿勢會不會不舒服？從孩子的目光中，不難讀出他對媽媽悉心照顧的感謝與愛意。越是微不足道的日常景象，越容易激發深層的共鳴；輕描淡寫地畫出平凡日常，反更讓人感受到無盡的母愛。

卡薩特出生於美國賓州的富庶家庭，從小就在主張「旅行是人生必修課程」的環境中成長，遊遍巴黎、倫敦、柏林等歐洲各地，度過優渥安逸的童年。父親是不動產業者、母親來自金融世家，這樣的出身背景讓卡薩特衣食無虞，她卻嚮往著波西米亞式的生活，並以女權主義者自居。

當時的社會風氣仍認為，女性僅能待在家中操持家務、照顧孩子，男性才是社會的棟樑砥柱；卡薩特則強烈主張女性應有自主權，並積極地為爭取女性參政發聲。藝術在當時同樣也是女性難以碰觸的領域，當大多數的女人只把藝術視為在家從事的消遣興趣時，卡薩特卻選擇以藝術做為職業，不顧家人反對，堅持學習繪畫，追求成為畫家的夢想。

《為孩子洗浴》，1891-1892／瑪麗．卡薩特

布面油畫，100.3×66cm，美國芝加哥藝術博物館（The Art Institute of Chicago）

在費城的美術學校上課時，她因女學生不得畫裸體畫的性別歧視待遇，對惡劣的教育環境深感失望，於是決定離校，動身前往巴黎潛心學習繪畫。然而，即使在巴黎，對女性的態度也極不友善。當時的巴黎又被稱為「畫家的夢工場」，有著多不勝數的畫家駐留此地，創造出許多藝術作品，卻仍是女性可望而不可及的禁地。除了父親的反對從未停歇，連法國美術學院也僅僅因為她的「女性」身分，就拒絕讓卡薩特入學。

因此，卡薩特唯一能做的，就是在羅浮宮臨摹歷代大師們的傑作。她藉此練就了扎實的繪畫技巧，在學習古典藝術之餘，也不忘追求革新的技法，拒絕拘泥於傳統形式，致力創作出符合時代潮流的藝術人生。

疲憊現實中，母親的懷抱帶來溫暖鼓勵

即使在現代，想要兼顧家庭與事業也還是十分困難，在卡薩特的年代，這更是幾乎不可能的事。卡薩特於是選擇以事業、而非婚姻，來定義自己的成功，宛如拋棄了生為女人的宿命，終生不婚。根據法國社會學家亞歷西斯・德・托克維爾（Alexis de Tocqueville）所言，即可得知那是一個多麼不利於女性生存的時代，當時的女性又必須承受多少壓迫。他曾以這段話形容一八四〇年代的美國：

「美國女性一旦步入婚姻，就無法再享有婚前的自由。美國人要求已婚女性拋棄女人的身分，全心全意享受自己的義務。基於這種詭論，已婚女性的人生被囚禁在名為『家庭義務』的狹窄空間中，寸步難離。」

即使卡薩特終生未婚，卻經常與已婚、有孩子的摯友們交遊，這些「母親與孩子」也成為時常現身在她作品裡的角色。卡薩特勾勒女人獨有的柔和與溫暖情感，透過畫筆呈現男性無從仿效的女性世界。她善用自己對色彩與生俱來的敏銳度，佐以細膩的技法，將親子相處的模樣盡收畫裡；相較於以理想中的設定來描繪母子關係，卡薩特筆下的親子之情顯得更加寫實與真誠。

或許，卡薩特是藉著畫布裡的母親與孩子，描繪自己渴望卻不得不放棄的家庭生活，以此宣洩無處釋放的母愛。她的畫作，優美卻也透著憂傷、開朗但也顯得黯淡。

看著卡薩特的畫，令人不由得想起自己的母親；洋溢溫潤母愛的親子互動畫面，每每讓人想起心中珍藏的童年記憶，細細回味自己與母親的難捨情感。就像在一次又一次被挫折絆倒的疲憊生活中，只要一被媽媽擁進懷裡，頓時便能得到慰藉、甚而產生力量，在身心俱疲時，看看卡薩特的畫，也能立刻豁然開朗。

在辛苦操持的漫長歲月中，一個無怨無悔愛著孩子的女人，徹底忘卻自己的名字，選擇了「母親」這個稱謂，奉獻一切卻不求任何回報，本能而始終如一地扮演付出的角色……正因為有了母親這個推手，你我才能在人生旅途上昂首闊步。

父親的守護，是孩子的堅強後盾

畫中的父親堅守著遠近適中的距離，一步、一步地前進。
他不發一語地守在女兒身後，就像是默默支持她勇敢前行，
以行動述說著，自己永遠是她最堅強的後盾與依靠。

和父親走過的路，是美好的成長養分

不久前，和家人一起去了KTV，爸爸那天放聲高唱了一曲法蘭克・辛納屈的*My Way*。整首歌的歌詞是以“And now the end is near”開頭，最後以“Yes, it was my way”結尾，大意則是「人生走到盡頭，迎來生命的落幕。充實的此生，有過難以數計的經歷……最重要的是，我過得隨心所欲。是啊！這就是我一路走來的人生。」

爸爸以渾厚嗓音高歌的模樣，堅定而豪氣，看來確實能屹立不搖地堅守信念，繼續走完往後的人生。然而，從另一個角度來看，卻又顯得有些淒涼，雙腳彷彿沉重得再也跨不出步伐……無論經過多少歲月，他總是默默地走在「父親之道」上，除了對爸爸感到尊敬，我的內心還混雜了些許酸楚。父親，是個讓人總覺得有苦難言的角色。

即便怯於揣測何謂「父親之道」，和爸爸一起走過的路，我可是全都銘記在心。父母留給孩子最珍貴的財產，便是回憶。孩子藉由回憶築成的基石規劃自己的人生，也將回憶轉化為滋潤成長路途的養分。

說起對爸爸的記憶，高個兒、暖呼呼的手、燦爛的笑容，是最先浮現的印象。爸爸帶我到遊樂園騎旋轉木馬的情景、替格外怕冷的我穿上厚重外套的模樣、父女倆手牽手走在亮白雪地的時光；清晨時，揉著我的腳一邊低聲喚我起床；即使推延公司工作，也全程陪我參加寫生比賽，做我堅強的後盾；發生交通意外時，不顧自身安危衝到路中央，用溫暖的大手輕拍我背……每段回憶，都像一張張照片般，收藏在我心深處。

古斯塔夫．卡耶博特——藉由畫作傳遞對父親的思念

能將剎那的感覺或畫面儲存成實物的照片，與人類的記憶極為相似。照片捕捉住倏忽消逝的某一瞬間，讓過往的片刻永恆留存，也使我們的記憶能夠停駐於那個當下。

法國印象派畫家古斯塔夫．卡耶博特（Gustave Caillebotte, 1848-1894），即以畫出「如照片一般」的作品而聞名。他能像相機拉近焦距般，把聚焦的景象收進畫布，藉由畫筆拉遠人物與背景的實際距離、壓縮空間，加強畫面的立體感。從卡耶博特的作品中，不難見到他大膽使用遠近法與鍾愛獨特構圖的畫技。

《穿工作服的男人》（*Man in a Smock*）這幅畫，即是強調遠近法的卡耶博特以繪畫呈現照片效果的作品之一，畫中描繪的父親形象，使其更添情感溫度。

一個男人正在前行，左邊圍籬外可見大海，右邊是一片雜草叢生。格外顯白的道路，發散出傾洩而來的空虛感。男人背著手，徐徐踏步向前，獨自走在空曠、寂靜的道路上……從那滿是皺褶的寬鬆工作服，似能窺見身為父親而深感心力交瘁的蕭瑟處境。

沿著男人的目光而行，可以望見遠方有一個撐著陽傘的女子，兩人的關係應是父女。男人堅守著遠近適中的距離，一步、一步地前進。他不發一語地守在女兒身後，就像是默默支持她勇敢前行，以行動述說著，父親永遠會是她最堅固的支柱與依靠。

在這幅畫中，卡耶博特選擇大膽且革新的構圖，以大幅度壓縮的遠近法呈現明顯的景深；藉由從近景到遠景而逐漸窄縮的路，成功將觀看者的目光聚焦於一處。將遠近技法起點的男人畫得很大，站在消失點的女子則畫得很小，是他刻意呈現的構圖方式，用以強調空間感與距離感。

雖然畫中的男女都只有背影，這樣的構圖卻讓我們切實地感受到男人凝視女子時所投注的情感；藉由將兩人置於一直線上，試圖讓你我的視角就像走在兩人身後一樣。此外，卡耶博特也利用看不見的盡頭，激發觀看者對畫面之外的道路產生想像空間。

《穿工作服的男人》，1884／古斯塔夫．卡耶博特
布面油畫，65×54cm，私人收藏

卡耶博特除了擁有天賦與才華，還有著溫暖的性格。出生於巴黎富有的上流家庭，他雖然成功考取了律師資格，卻毅然放棄成為法官，選擇投身藝術。儘管富甲一方，卡耶博特的作品卻是以描繪庶民階層的風俗畫和風景畫為主。接受傳統科班教育的他，成功擺脫古典藝術的枷鎖，全心創作屬於當代的作品。

父親逝世後，卡耶博特繼承了可觀的遺產，使他終生都能在經濟無虞的環境下埋首藝術創作。然而，他並未將這些財富全數為己所用，而是始終樂於分享與布施，不僅向經濟陷入困境的畫家朋友購買作品、對他們伸出援手，甚至還替莫內繳付房租、舉辦並全力奧援印象派畫展，他自己也以畫家身分參與了數次。一八九四年冬，他留下遺言，表示要「將自己蒐集的所有藝術作品，全數捐給國家」，就此離開人世。

雖然在有生之年未受到太多矚目，卡耶博特卻實實在在是一位印象派畫家，也是比任何人都關愛同儕、為藝術貢獻良多的藝術家。家世優渥的他，本可目空一切地享受人生，卻比誰都知曉平民為求溫飽而揮灑汗水的崇高偉大……那敦厚的人情味，任誰都能真實感受他善良的心地。

遭逢挫敗時，孩子最需要父親的信任

是父親的愛與信任，造就了卡耶博特這樣的性情與人格。他的父親馬歇爾．卡耶博特，是經營軍用物資產業的家族繼承人和著名的法律從業人士，而他不只是留給兒子為數龐大的遺產，更是他終其一生最堅強的後盾與盟軍。即使父親早逝，但這份無條件的完全信賴，仍滋養著卡耶博特忠厚、篤實的人生旅途。

不知是否因為思念父親，卡耶博特終生未婚，窮盡一生之力，在自己的創作中描繪各種父親的樣貌。尤其喜愛以「父女」為繪畫主題的他，在父親逝世隔年完成《伊厄爾卡家地產中的公園》（*The Park on the Caillebotte Property at Yerres*），以父女漫步於百花齊放的寬闊公園為背景，呈現親子相處的溫馨景象；《釣魚》（*Fishing*）描繪女兒溫情地凝望戴著草帽釣魚的父親；《柳橙樹》（*The Orange Trees*）則藉由站在樹蔭下的女兒和坐在椅上讀報的父親，刻劃父女相處的恬靜畫面。或許，卡耶博特是想透過畫作，坦露自己對父親極深的愛與思念……

孩子的成長過程難免經歷挫折，從而在一次又一次的試煉中長大成人。此時孩子首先需要的，便是父親的信任。只要有父親投遞溫暖的目光、衷心地信任自己，孩子便能抬頭挺胸戰勝挫敗、茁壯成長。一個人的成長歷程，往往始於父親的信賴與關愛，這是爸爸花了一輩子的時間，教導給我的道理。

無條件的信任，令人既感戒慎恐懼又覺幸福。父親始終如一的信任，成就了現在的我，即使跌跤，也因為知道身後有一道堅強的後盾支撐著自己，而能無畏地勇往直前。這份信任，鋪成了厚實人生旅程的基石，使世上的每個孩子，都能泰然自若地走在父親走過的道路之上。

雙眼所見，
並非就是一切

當每個人只固守一套看待世界的自身標準，
便會錯覺自己見到的窗外景色即為整個世界；
當每個人都只用自己的那把尺去衡量一切，
便會執著於其他人都該穿得下自己的衣服。

傲慢與偏見，衍生出人生百態

「凡是有錢的單身漢，都需要一個太太，這已經成了眾所皆知的真理。這樣的單身漢，每逢搬到一個新地方，左鄰右舍即便完全不瞭解他的性情如何、內涵如何，卻因這則真理早已在人們心中根深蒂固，所以總是把他視為自家女兒理所應得的財產。」

英國小說家珍・奧斯汀（Jane Austen）以上述文字，揭開了《傲慢與偏見》的序幕。這本小說以婚姻為故事主軸，闡釋因財產、地位、人性、價值觀、身分、階層等問題所衍生的傲慢與偏見，藉由細膩的文筆串連各式各樣看似微不足道的事件。雖然書中描寫的是十九世紀初英國鄉村地區的社會樣貌，卻在兩百多年後的今天，依然引起許多人共鳴、廣受讀者喜愛。作者入木三分的文筆與出眾的表達能力固然使人驚艷，但最令人津津樂道的，則是她不斷向讀者拋出一個問題：「你雙眼所見的，就是一切嗎？」

自古以來，「偏見」對藝術家而言一向是相當重要的議題。敏銳的洞察力，使他們熱衷於這樣的表現形式——以帶著偏見的眼光看待這個世界，犀利而風趣地對一切冷嘲熱諷。法裔美籍藝術家馬塞爾·杜象（Marcel Duchamp）在命名為《噴泉》（*Fountain*）的小便斗簽上 R. Mutt 一行字，撼動了二十世紀初的藝術史[1]；普普藝術開創者安迪·沃荷（Andy Warhol）以康寶濃湯罐、可口可樂瓶、名人肖像絹版畫等作品，諷刺為偏見所操縱的偽善世俗；深獲安迪·沃荷喜愛、被稱為「黑色畢卡索」的美國藝術家尚—米榭·巴斯奇亞（Jean-Michel Basquiat）為了破除世人認為塗鴉並非繪畫的成見，希望大家稱呼自己為「畫家」而非「塗鴉畫家」。梵谷也曾說過：「肉眼所見的現實，永遠都在改變，就如瞬間出現又消失的閃電，而人們卻總是輕易地被匆匆一瞥所矇騙。」

雷內·馬格利特——顛覆既有視角，才能看清世界

言已至此，讓人不禁要提到比利時畫家雷內·馬格利特（René Magritte, 1898-1967）。被譽為「超現實主義大師」的他，自一九二六年起在巴黎待了四年，期間他結識了超現實主義詩人保羅·艾呂雅（Paul Éluard）和超現實主義畫家薩爾瓦多·達利（Salvador Dalí）、胡安·米羅（Joan Miró i Ferrà），促成他踏入此領域的契機。超現實主義狠狠衝擊人們僵化的思考，刺激尚未被偏見污染的思想，進而粉碎你我根深蒂固的刻板印象。

在《形象的叛逆》（*The Treachery of Images*）中，馬格利特在畫好的煙斗下方留下一段文字：「這不是煙斗」。當我們同時見到煙斗圖像與「這不是煙斗」的文字時，必然會十分困惑。

在另一件作品中，則有個男人正看著一顆蛋作畫，但畫布上顯現的卻是一隻鳥。這幅畫被命名為《透視》（*Clairvoyance*），巧妙闡釋了馬格利特究竟是一個什麼樣的人。

此外，馬格利特還有一幅名為《空白簽名》（*The Blank Signature*）的作品，描繪一名女子在叢林中騎馬的模樣，堪稱是淋漓盡致詮釋「偏見」這項主題的傑作。在他幅幅獨特的作品中，尤以此畫最觸動人心。

畫中，女子騎著馬漫步叢林，鬱鬱蒼蒼，令人倍感清新沁涼。但仔細一看，卻發覺女子和馬、樹、叢林，似乎有些難以言喻的詭異？原來，得要遮住馬才能看見完整的背景，遮住樹才能看見完整的女人。畫中物件雖是我們生活常見的事物與背景，這樣的景象卻又不存在於現實裡；一切都照著原有形態被描繪而成，看似與實物相同，卻是不可能真正呈現的模樣。儘管被切割的部分相當清晰，卻因為物件與背景的界線不明、畫面的景深處理，導致視覺產生混淆。就如同「錯視」（Optical Illusion）般，越看越迷亂、越看越疑惑。

馬格利特的畫作，呈現我們從未接觸、不曾得知的世界。當我們認為萬事萬物只有單一型態時，實則不然；有時，現實甚至比幻覺更不現實。

圖片來源：達志影像

《空白簽名》，1965／雷內・馬格利特
布面油畫，81×65cm
美國華盛頓國家藝廊（National Gallery of Art）

馬格利特下意識地顯露出自己醉心於抗拒所謂的理性思考，藉由融合對立的現實與幻覺，帶領世人走進不可思議的嶄新世界。最終，在置身充滿矛盾的四維空間之際，觸發潛伏於內心深處的疑問：「如果，世界上發生的所有事情，都能隨著歲月流逝理清因果，發生在因與果之間那些難以數計的過程，又消失到哪裡去了？」

馬格利特藉由繪畫，以單純的思考方式扭轉人類的偏見與先入為主的態度，開拓我們看待世界的視角。一如他曾說：「我們眼見的一切，都藏著某些未知之事，而我們總是好奇那些未知之事究竟為何。」馬格利特希望透過自己精闢的洞察力與超凡的智慧，好好地觀察這個世界。

多看一點、看久一點，翻轉慣常的成見

所謂具有洞察力的目光，即是指以主體的角度看待世界。當我們秉持觀察者的角度時，永遠只會看見結果，亦即只能看見畫中被關在樹間的女子。然而，一旦我們改採主體的視角，卻能看見更多——她究竟途經多少路程才抵達此處？她在看什麼？她想要前往何方？馬格利特的畫，觸發我們進行深度思考與透徹分析。

馬格利特鍥而不捨地衝撞既存的圖像概念，將日常熟悉的物件置於意料之外的空間，賦予其全新的定義，翻轉被視為常態的理論，喚醒看待事物的根本價值觀。相較於其他超現實主義畫家多半鍾愛創作不存在於現實的抽象、幻想圖像，馬格利特始終堅守作品的「寫實性」，選擇將日

常所見的平凡物件放進畫作。只是這些理應平易近人的事物，會變得有些扭曲、或現身出人意表的場合，因而帶來非凡特殊的體驗，藉由熟悉的陌生感，打破習以為常的思考方式與固有成見。

人總是看不見雙眼「真實所見」，而選擇看見「自己想見」；人總是不相信「真正的事實」，而選擇相信「自己想相信的事實」。我不敢斷言這樣是幸或不幸，只是到了將來，今日所見所信，或許早已變得面目全非。當每個人固守著一套看待世界的自身標準，便會錯覺自己見到的窗外景色即為整個世界；當每個人都用自己的那把尺去衡量一切，便會執著於其他人都該穿得下自己的衣服。

看得多，才不會被混淆；看得久，才不會只看見自己想看的畫面。當我們不再認為雙眼所見就是一切，才能看見真正該看見的東西。不再迷信習以為常的有色眼鏡，不再屈服於熟悉的偏見，不再因修潤過的視角而執迷於病態的感性，不再成癮於自我判斷的無瑕……這或許才是徹底擺脫被偏見蠱惑的正確態度吧！

雙眼所見，並非一切。

編註：1917年，杜象在買來的小便斗上簽了一個杜撰的名字R. Mutt，並以此「現成品」報名參加紐約的獨立藝術展以做為挑釁。這件作品除了表現達達主義的「反藝術」精神，主張日常生活之物皆為藝術，藝術家的角色是給予物件意義，也標誌著現代藝術發展的重要轉變，並引發如何定義藝術等爭論。

跳脫色彩的制約，讓心更自由

扭轉世俗對色彩的偏見，是全人類應該一起解決的課題。
當我們不再以顏色劃分各種定位，才能有更多人充分發揮潛力，
樂於擁有個人獨創性，進而享受自由、健康的人生樂趣。

「小女孩」不一定等於「小粉紅」

午後，為了買份禮物送姪女，我去了趟百貨公司。當我一踏進女孩商品區，簡直嚇了一大跳：粉紅色首飾盒、粉紅色皇冠、粉紅色公主床、粉紅色化妝台、粉紅色梳子、粉紅色吹風機、粉紅色電話、粉紅色球棒、粉紅色頭盔……被粉紅色鋪天蓋地籠罩的世界，狂亂地衝擊著我。

我赫然想起不久之前朋友寄來的一封信，曾說起幼年時期因為性別不同而選擇的顏色，對一個人的性格與人生會產生什麼樣的影響……文中主張，世俗對於色彩的偏見，將左右我們的一生。朋友也連帶提及，近來自己的大女兒似乎過分執著於粉紅色了，意有所指地想問問我，這該如何是好……

朋友的諸多憂慮，終究要回歸到一個問題：孩子沉迷的粉紅色世界，究竟在向我們傳達些什麼？走在路上，瞥見從頭到腳全是粉紅色的小女孩時，讓人不舒服的感覺其實遠勝於可愛。一如西蒙波娃所言，「一個人之所以為女人，與其說是天生，不如說是『形成的』。」我在心裡也不免浮現疑問：「這是孩子自己選擇要展現的模樣嗎？」

在藝術家眼中，粉紅色有時也象徵著「壓抑」

看到這樣的孩子時，我總會想起俄羅斯畫家阿列克謝·哈拉莫夫（Alexei Harlamoff, 1840-1925）所畫的《粉紅軟帽》（*The Pink Bonnet*）。哈拉莫夫筆下的肖像畫，大多選擇小女孩為描繪主題，尤以這幅作品最能傳神地勾勒出，帶著粉紅軟帽的孩子複雜而微妙的神情。

畫中，有一名戴著粉紅軟帽的女孩，她的臉部表情相當僵硬，凝望前方的眼眸看來十分哀傷，緊閉的雙唇彷似正在強忍內心的不滿。由淺至深的粉紅色蓬鬆蕾絲，層層疊疊；大大小小的蝴蝶結，更顯扮相的華麗。以極大蝴蝶結裝飾的軟帽，就整體比例看來甚至已有些超乎常理……

這頂軟帽似乎重得讓女孩無法維持身體平衡，但年紀尚小的她，終究還是無法靠自己的力量解開蝴蝶結。從沒能好好整理的髮絲，以及滑落一側的衣服肩帶，不難推測女孩還是需要別人悉心照料的年紀。筆觸錯雜的咖啡色背景，宛如正述說著孩子紊亂、煩躁的心境。

《粉紅軟帽》／阿列克謝．哈拉莫夫
布面油畫，55.5×44.4cm，私人收藏

雖然藝術家們也會將粉紅色視為「優美」的象徵，但也有人用它來表達「壓抑」。這不禁讓人思考，今時今日慣於將性別與色彩掛勾的我們，又該以什麼樣的態度來看待這些作品呢？

美國雕刻家詹姆斯·李·拜耶斯（James Lee Byars）曾在其創作《粉紅絲緞計畫》（*Pink Silk Object*）中，將粉紅色絲緞雜亂地放進透明玻璃箱，以表現世俗強加於色彩選擇自由之上的枷鎖；韓國藝術家尹錫男（Yun Suk-nam）亦曾發表裝置藝術作品《粉紅沙發》（*Pink Sofa*），以尖銳鐵釘椅腳所支撐的粉紅沙發，加上從沙發座墊中竄出的尖角，令人直覺毛骨悚然，藉此闡釋金玉其外的創作理念；韓國攝影師尹丁美（JeongMee Yoon）因其熱愛粉紅色的八歲女兒而著手創作《粉紅與藍計畫》（*The Pink and Blue Project*），將男孩與女孩的日常用品區分為兩種顏色，道破時代因習慣與沉默，養成了對色彩的世俗成見。

自幼「被養成」的色彩偏見，甚至已代代相傳

問題核心不在於女性選擇粉紅色，而是長久以來「被選擇」了粉紅色。我們一直背負著靠粉紅色彰顯女人味的束縛，因而被養成為一個「女性化」的女性。其實我不懂粉紅色為何是女性的顏色……這樣的情結，早在父母替未出世的嬰兒準備用品時，即可窺見端倪。

初訪世界的嬰兒，單憑著性別是女性，就得從出生那刻起被淹沒在粉紅色的衣物中，並在貼滿粉紅壁紙的房間裡成長。不僅玩具全是粉紅色，

甚至還早已備妥全套粉紅文具組。從嬰兒服到女性化妝品，甚至連老奶奶用的絲巾，只要是女性用品，絕對少不了粉紅色。

當然有人或許會覺得：「不就是個顏色嗎？」但是自幼兒期就接觸依據性別來區分顏色的概念，這份認知會跟隨我們繼續走過兒童期、青少年期、青年期、成年期，直到老年期，對我們的性格與人生形成或多或少的影響。如同「三歲定八十」的俗諺所言，三歲時的色彩取向，儘管可能隨著年紀增長改變，卻也可能使人無形中殘留對色彩的固有認知，始終戴著有色眼鏡看待色彩的本質。這樣的偏見，不僅僅止於自己，甚至還會代代相傳，就像我們常會見到父母斥責選擇藍色衣服的女孩：「那是男生的衣服」、「穿起來一點都不像女生」。

好的父母會讓女兒知道，「無論選擇什麼顏色，都是好女孩」，而非強迫女兒選擇粉紅色，藉此變得女性化。健康的社會會賦予孩子自主權，讓他們自由選擇多樣化的色彩，而非以商業手法操弄粉紅色。

本來就沒有「本來」，往往只是「習以為常」

其實在第一次世界大戰之前，社會尚未存在依據性別區分顏色的風氣，反而還將粉紅色視為男性化的象徵。一九一四年的美國報紙《週日前哨報》（*The Sunday Sentinel*）曾向父母們宣揚：「若想跟隨時代潮流，你應該為男孩選擇粉紅色，為女孩選擇藍色。」根據馬里蘭大學美國學副教授喬．保萊提（Jo B. Paoletti）的研究，「在幼兒園肇始之際，園內會使用象徵強悍的紅色與相近色調的粉紅色代表男性化；直至二十世紀初，為追求服裝的整潔，則不分男女孩，通通穿著洋裝款式的白衣。」第二次世界大戰後，「粉紅色代表女孩、藍色代表男孩」的觀念變化才開始出現，而起因顯然是源於商業目的。

相關的探討也出現在美國記者佩姬．歐倫史坦（Peggy Orenstein）所撰寫的《灰姑娘吃了我女兒》（*Cinderella Ate My Daughter*）一書中。她疾呼大眾文化與商業策略扭曲了女孩的性別認同，並提出以下論述：「我並非指粉紅色本質糟糕，而是粉紅色僅為眾多色彩之一，即便有襯托少女時期的特殊意義，卻也同時固著了女孩將外在形象視同於彰顯自我價值的思想。」她並反諷地宣稱，「女性化的女孩文化」早已隨著女性人權與自主權的提升而日益茁壯。擁有女兒的她這樣對我們說：「我對女兒的唯一期望，是她得以發掘自己的潛能、探索一切有助於發揮潛能的機會，成為一個健康、快樂、自信的人。」

性別與色彩掛勾會帶來什麼損害並不重要，重點是色彩究竟對身為社會一分子的你我，產生什麼樣的制約與歧視。換句話說，這不是男女的問題，而是人的問題。因此，扭轉世俗長久以來對於色彩的偏見，不分性別、年齡、國籍、種族，是所有人類應該一起解決的課題。當我們不再劃分色彩定位時，才能有更多人充分發揮潛力、樂於擁有個人獨創性，進而享受自由、健康的人生樂趣。

本來就沒有「本來」，往往只是「習以為常」。

永遠記得，成為自己喜歡的大人

每當現實劃傷心房、頓感無力時，不免會閃過就此妥協的念頭……
儘管如此，回想起那段對世界充滿好奇的日子，
就讓我終究不願放棄，想成為一個「好大人」的堅持。

「長大」之後的我們，究竟遺落了什麼？

「不知道是否已嘗遍人生在世該有的感受，有些厭倦起人生了呢……」某日，從不認為活著值得感恩、把一切視為理所當然的她，用著生無可戀的語調如此說道。

如果所謂的大人，就是會忙得無暇與重要的人相處、不再覺得聖誕節或過年值得興奮、對一切新事物都了無興致，那我寧願不要變成大人。

只不過，我們的模樣，往往朝著與這番決心相反的方向揚長而去，變得總是做好失望的打算、時刻抱持悲觀的想法。無論發生任何事，都控制著自己露出滿不在乎的神情，像是早就看透一切而不以為然，誤以為壓抑情緒才是大人應該有的表現。長久固守這樣的模式，使我們變得冷漠

無情；以過快的速度運轉情緒，又使我們動輒過度反應。或許，成為大人，就是一段練習面對陌生情緒的過程吧！

小時候，我很喜歡看新聞。上學前，為了多看一點晨間新聞，我會故意用很慢的速度吃早餐、或在客廳整理上學用品，竭盡所能地拖延時間；伴隨晚間新聞播放的整點鐘響，也每每牽動著我稚嫩的心。儘管媽媽老是語帶斥責地問我，為何這麼愛看新聞裡的社會事件，我卻往往充耳不聞。對世界充滿好奇、見到任何人都覺得新鮮的我，新聞不僅是引領我向外邁進的探奇之門，也同時滿足了一個孩子對成人世界的憧憬。

然而，從好奇轉為擔心、從憧憬轉為失望的過程，並沒有花上太長的時間。因為看了太多，而開始假裝看不見；因為發生了太多，而開始假裝不知情。人們為了捍衛宛如世界唯一價值般的各自理念而相互對立，終究還是露出了狐狸尾巴。一個個表面上都佯裝著夢想打造烏托邦，到頭來還是承受不了綁手綁腳的束縛與恐懼，信念於是通通化成抨擊彼此的狠毒眼神。明知會演變成紛爭，卻持續不斷地挑起事端、策動陰謀，用以相互中傷、抹黑……有人誤以為自己的理念才是正義，有人主張愛國才是普世價值，雙方就像是對彼此恨之入骨的孿生手足。

看著他們將世界切割成黑與白，我心想：「如果用黑白電視看夏卡爾的畫，大概就是這種感覺吧？」算了，說不定黑白電視裡的世界，更接近我們實際感受的世界。

世界所發生的問題，大部分都源自於上下，而非左右。我從未期盼一個公平的社會，卻祈求有一個公正的社會。厭惡公正的人們，躲在名為公平的保護傘下，日以繼夜地運轉著不公正的社會，宣揚剝削與掠奪所換來的榮耀、要求盲目效忠，只要出現絲毫阻礙，一轉頭即以若無其事的姿態肅清、踐踏。無時無刻只想得過且過，一旦以要求他人的標準來檢視自己，又總有辯解不完的道理。自始至終固守著嚴以律人、寬以待己的處事方針，堅守掠食與被掠食的戰爭永不可能終結的信仰，認定別人的失敗就是自己的成功。

遭受不當迫害、蒙受莫須有罪名的人，似乎唯有將自己承受的一切加諸於他人，才能一吐怨氣……如同某些缺乏關愛的人，會無緣無故對停在路邊的車或走過的狗遷怒洩憤一樣，釀成永無止盡的惡性循環。

「為什麼會這樣？」歷經無數次的提問，真正引起我關注的是，他們何以能泰然自若地展現出與真實內心毫不相符的表情呢？笑得那麼沒有靈魂，宛如失去自我。以光彩盡失的神態，不假思索地阿諛奉承，只為迎合某人的脾性。為動搖他人之心而搏命演出，竭盡所能地將自己包裝成非我族類。暗自為本身排名、評分，倚賴學經歷與頭銜裝飾自尊。打著「討生活」的名號，爭權奪利不擇手段，有時僅為了拓寬自家房子的坪數，便不惜張牙舞爪豁出一切。為了糊口飯吃，強忍羞辱；為了生存，操弄陰謀詭計。最悲哀的是，有一天我赫然發現，自己已經和他們越來越像。我不寒而慄，毛骨悚然的感覺頓時一湧而上……我反覆思索，一次又一次，能不能不要長大……

《晨間新聞》——帶著好奇的眼神，迎接每個早晨

小時候，我曾經夢想自己能夠長成像美國印象派畫家海倫·特納（Helen Turner, 1858-1958）在《晨間新聞》（*Morning News*）這幅畫中描繪的模樣。一名女子坐在椅子上打開早報，悠閒地吃著桌上簡單料理的早餐，享受讀報的樂趣，這感覺一定很棒！柔和灑落的晨曦瀰漫屋內，各種物件自安其位；隨著濃郁的紅茶香幽幽飄散，來自世界各地的故事化身黑色活字，悄悄帶著讀者造訪某個角落，轉眼間又消失得無影無蹤。任憑燦爛陽光恣意流洩，女子的神情始終泰然，聚精會神地將目光停駐於某處。就像新聞內容趣味橫生一般，望見女子以閃著滿滿好奇的眼神和掛著笑意的臉龐，迎接寧靜的早晨，讓我好生羨慕……

特納特別喜歡描繪女性置身室內的景象，儘管畫作主題或背景都十分平凡，畫家所營造的氛圍卻又是那麼不凡。散發輕盈、滑順感的窗簾和粗糙、硬梆梆的地板，塑造強烈對比。特納不受拘束卻仍見細膩的筆觸，著實散發獨特魅力；她將日常景象幻變得如此不同凡響的表達能力，在在使人驚艷。也許有時我們會認為，描繪平凡日常的畫作無甚價值，但實際上，沒有任何「特別」比得上「平凡」的崇高。因為平凡，所以不凡，人生哲理往往現身於平淡無奇且微不足道的事物，追求平凡，是實實在在努力過的人才能體悟的瑰寶。

我頓時憶起，有位朋友也像特納一樣，有能力將平凡轉換為不凡。當她見到古人把魚肚綁成蓑衣時，比起佩服人類的智慧，她更讚頌大自然造物的

《晨間新聞》，1915／海倫．特納
布面油畫，45.08×37.47cm，美國澤西市立博物館（Jersey City Museum）

神奇；看著李奧納多．達文西（Leonardo da Vinci）的《最後的晚餐》（*The Last Supper*），與其驚嘆大師的傑作，她更好奇是誰準備了那麼多料理，隨即聯想到勞動階層的權益問題。我們一起造訪知名美術館時，她曾將買票剩餘的零錢贈予在入口乞討的老人，然後露出燦爛的笑容。那年的她十八歲，我也因而深信，「大人」的定義並不在於年紀多寡。

莫忘初衷，朝「理想中的好大人」振作前行

後天學會的悲觀，導致人們習慣性的沮喪。每當現實劃傷心房、令人頓感無力之際，我們往往會閃過「不如就此妥協吧！」的念頭……儘管如此，轉身回想起那段對世界充滿好奇的日子，就讓我終究不想放棄，要成為一個「好大人」的堅持。反覆咀嚼那段想逃離一切的時光，才發現萬念俱灰與冷嘲熱諷的態度，其實是源於期待與希望……於是一面想著「不可以背叛小時候的自己」，一面振作前行。

或許，我們不過都是在模仿著所謂的「大人」罷了。無論是實際存在的大人、或自己想像中的大人，我們都應該長成自己理想藍圖裡的「好大人」。模仿著大人的我，永遠是個小孩。不過，很神奇的是，只要做出閱讀的姿勢，不知不覺也會開始閱讀；只要大笑出聲，心情也會變得快樂……時刻模仿著做個好大人，總有一天也會真的變成好大人吧？借引安東尼．聖修伯里（Antoine de Saint-Exupéry）在《小王子》（*Le Petit Prince*）這個被稱為是「大人閱讀的童話」中所寫的一段文字，或許可以這麼說：

「所有的大人都曾經想成為好大人，但很少有大人記得這一點。」

旅行

為了找尋自己，而踏上這條路

畏懼卻勇敢、笨拙卻熱血的那段時光，就在橫衝直撞之際，轉瞬消逝。
正因再也回不去了，更加變得朦朧不清……或許當時留下的慨嘆，終將鋪陳為重臨往昔的伏筆。

徬徨與恣意，青春獨有的專利

就這樣不斷將青春浪費在恐懼未知的某一天，
無形中似乎有股引力，把我帶上了飛機。
用了整個夏季放逐自我，如今回首才發現，那一切正是青春啊……

聽從內心召喚，踏上未知的地中海之旅

在那段除了熾熱眼神外一無所有的日子裡，我決心遠赴他方，唯一確定的只有離開與回來的日期。如同某天突然聽見來自遠方的鼓聲，決定前往希臘的日本小說家村上春樹一樣，我也就此展開為期一個月，沒有目的地與計畫的地中海之旅。

天色尚未破曉的黎明時分，我自然地睜開雙眼，吃完簡便的早餐，便緩緩動身造訪伊斯坦堡最大的地下宮殿，以及使用藍色磁磚裝飾而成的藍色清真寺（The Blue Mosque）。

橫跨歐亞大陸的伊斯坦堡，擁有極為獨特的文化，基督教遺跡與伊斯蘭教寺廟並肩而立，伊斯蘭教的嚴格律法與個人自由相生共存。每小時響

起的喚拜聲，將人們一一聚往清真寺。此時，我對英國歷史學家阿諾德．湯恩比（Arnold Joseph Toynbee）所說的話，頗感共鳴——「伊斯坦堡，是完整保留人類文明的露天博物館。」

一群頭戴華麗希賈布的女人走近我要求合照，後來聽從她們的推薦，我前往一家環境優美的甜點店，品味道地的土耳其咖啡，並挑選嚐試了幾種客製化的頂級甜點。她們不問自答的熱情，讓我留下深刻印象，那悠哉、樂天的模樣，溫暖了遊訪異鄉的我。

每次旅行，我一定會前往該座城市的公園。對疲憊不堪的旅客而言，能在市中心的公園享受徐徐吹來的鮮甜清風，可說是撫慰身心的最佳休憩地。恰如紐約的中央公園、倫敦的海德公園，土耳其也有居爾哈內公園（Gülhane Park）。Gülhane在土耳其文中意指「玫瑰庭園」，這裡也是每年舉辦伊斯坦堡國際鬱金香節的地方。

帶著一份羊肉沙威瑪，我前往土耳其歷史最悠久的居爾哈內公園。甫踏進入口，綠色饗宴隨即迎面鋪展，放眼望去，一片翠綠。茂盛高大的綠樹林立，讓我一路引頸張望，直到脖子都有些痠疼了，才總算看見公園的盡頭。鬱鬱蔥蔥，我不由自主地頻頻深呼吸。坐在零星散布的長椅上閱讀的人、躺在綠草地上享受思考的人，真教人羨慕他們的悠閒自在；倚著樹木一起聽音樂的情侶，看起來真的好可愛。聚在噴水池附近撫弄水柱消解暑氣的孩子們，模樣非常快樂……見到他們被自己打得噼啪作響的水花逗得咯咯大笑，我也不禁露出滿足的微笑。

如同愛好畫貓的土耳其素人畫家伊斯拉・希爾瑪（Esra Sirman）作品中所呈現，伊斯坦堡到處都是貓，神奇的是，牠們完全不怕人。我拿出包包裡的餅乾，捏成碎片餵食，小貓開始一隻接著一隻尾隨我；小狗專挑能充分享受日光浴的地方躺著午睡，畫面好不恬靜。和煦的陽光悄悄滲透樹葉，樹葉隨著輕拂而來的微風擺動身軀。四處盛放的黃澄澄鬱金香，佐以一望無際的如茵綠草，讓人頓時將旅途的疲憊拋諸腦後。

在枝繁葉盛的公園裡散著步，我挑了個喜歡的位置坐下。我在樹蔭下拿出買好的沙威瑪，咬了一大口，塞得滿嘴脹鼓鼓的，香濃酥脆的口感堪稱一絕。我忘卻自己旅客的身分，像個在地人般從容躺臥，邊看書邊聽音樂……休息了一陣子，不知不覺已屆日暮，影子變得越來越長。

雖然這是一趟遠離熟悉環境、追尋陌生感覺的旅程，卻在陌生的環境中發現了熟悉的感覺。或許，這就是旅行無可取代的微妙之處吧？

《夏》——甜美的鮮綠旋律，喚醒快樂記憶

居爾哈內公園除了是繁華市區內如寶石般珍貴的絕佳休憩地，同時也是大自然的棲身之處。置身於此，就像走進美國印象派畫家湯瑪斯・杜因（Thomas Dewing, 1851-1938）如夢似幻的畫作深處。

作品瀰漫著朦朧夢境般氛圍的湯瑪斯・杜因，又被稱為「綠之畫家」，極愛以綠色作畫。由他一手包辦的綠色饗宴包括有《歌》（*The Song*）、

《日出之前》（*Before Sunrise*）、《隱士畫眉》（*The Hermit Thrush*），尤以一八九三年完成的《夏》（*Summer*），堪稱完美地呈現綠色叢林的清新景象。自一八八〇年代後半開始，杜因即將自己與三五好友在旅途中所見美景收進畫布，看著他的畫，我彷彿重見自己漫無目的遠赴他方的那個夏季，興奮之情難以言喻。

叢林的四周滿是綠樹，彷似從未有人踏訪，蓬鬆的綠草與茂盛的樹木並立，偶爾傳來小鳥啪啪作響的振翅聲、以及對盛夏略帶著忌妒的唧唧蟬泣。即便周圍安靜得連蟲鳴都不再響起，盎然的生氣卻傾洩而出，甜美的鮮綠旋律宛如穿透叢林，傳遍世界每一個角落。顏料灑滿畫布，色彩協調得醉人，倍添神秘感的模糊界線，讓眼前景色宛如夢幻世界。

兩名闖進叢林深處的女子恰巧出現，每踏出一步，便引起綠葉騷動，沙沙作響的樹葉聲伴隨兩人腳步前行。聽著鳥兒唧唧喳喳的歌聲，她們愉快地邁開步伐，很快抵達叢林中央。一名女子張開雙手伸直腰桿，仰望天空，以全身享受盎然綠意；旁邊的另一名女子則撩起裙襬轉圈，四下張望。兩人在枝葉扶疏間揚起清脆笑聲，擴散到很遠、很遠的地方……優美的景色與綿延的靜謐，喚醒了許許多多快樂的回憶。

杜因用感性的方式將人類與大自然巧妙地結合。他曾與重視美學層面更甚於敘事結構的美國畫家詹姆斯．惠斯勒（James McNeill Whistler）共事，並深受其影響，因此從杜因的繪畫中，不難感受到他獨具的唯美主義。所謂的唯美主義（Aestheticism），是將「美」視為最高價值的文藝思潮，

《夏》，1893／湯瑪斯・杜因
布面油畫，128.3×82.6cm，美國底特律藝術中心（Detroit Institute of Arts）

亦即相較於描述具體化的形態，更注重營造氛圍。杜因相信，即便少了清晰、明確的形態，繪畫依然能充分呈現該有的生命力，他不僅透過幻境般的畫風實踐這項理念，甚而促進了唯美主義的發展。以《夏》這幅作品來說，即巧妙呈現了綠色能將陽光與空氣融合為一的特性。

年少的純粹，點燃內心沉寂已久的火光

動身前往旅行的原因，直到回來之後我才明白。我一直執著於為何只有自己過得這麼辛苦、委屈，為了不明朗的一切而焦躁、緊張……就這樣不斷將青春浪費在恐懼未知的某一天，無形中似乎有股引力，把我帶上了飛機。在徬徨的年輕歲月，用了一整個夏季放逐自我，如今回首才發現，那一切正是青春啊……

記錄青春璀璨瞬間的杜因畫作，帶我憶起珍藏在內心深處的那段時日。躍然於畫布之上的翠綠叢林，那一片清新至極的景象觸動了青春年少的純粹，點燃內心沉寂已久的火光。一如他選擇以飄渺的綠色呈現意念，我也在旅途中，遇見了朦朧卻嫩綠的青春之美，從中學會如何在人生路程上徐徐漫步，以及重新起身前行。

怦然，唯有置身青春才敢放肆徬徨的勇氣。那絕無僅有的青春啊……

路的盡頭，也是另一個起點

我在威尼斯複雜的巷弄間迷了路，驚覺自己似乎走進了死巷。
我向陽台上晾著衣服的中年婦人詢問：「這裡是盡頭了嗎？」
她笑著說：「這裡雖然是盡頭，但也是另一個方向的起點。」

水都威尼斯，聞名全球的文藝之城

從船上放眼威尼斯的景色，我不禁嘎然屏息。那樣的畫面，即便只是靜靜欣賞，也擁有讓一切安定下來的力量，彷彿不知何謂絕望、從未經歷過挫折般，堅毅而昂然。

我喜歡威尼斯的原因，除了絕妙的景色外，還有這裡的人們即使身陷絕望深淵，也未曾失去希望的鬥志與努力。西元六世紀，數千名向南逃往海邊的難民，在淺海地帶築起數百萬根柱子，打造人工島嶼，從此掌握海路，成為海洋霸權的始祖。為了在惡劣的環境中生存，單憑著人類強大的意志力，在荒蕪的潟湖中建築起一座城市，威尼斯因此轟動世界。

音樂、藝術、文化等活動皆蓬勃發展的威尼斯，堪稱是藝術寶庫，早在很久以前便吸引不可勝數的畫家在此停駐，激盪創作靈感。這裡不僅是許多傑出小說的故事場景，也是各種電影與音樂作品的誕生之地。

撼動靈魂的美國小號手克里斯．伯堤（Chris Botti），以童年時期對義大利的回憶錄製了*Italia* 這張專輯，而我聆聽著其中的《威尼斯》一曲抵達了聖馬可廣場。隱約映著清晨耀眼陽光的廣場，伴隨抒情、感性的小號演奏聲，柔和地撫慰我心；九十九公尺高的鐘樓、總督宮，以及不計其數的鴿子，興高采烈地迎接我的到來。

廣場旁創立於一七二〇年的「花神咖啡館」（Caffè Florian），是全歐洲歷史最悠久的咖啡館，曾吸引卡薩諾瓦、拿破崙、歌德、盧梭、蕭邦、海明威等名人登門造訪。一走進店內，便能感受到咖啡館雅緻清幽，卻任誰也難以仿效的壯美氣勢。在前往「威尼斯雙年展」（La Biennale di Venezia）之前，我決定先喝杯熱呼呼的咖啡，遙想曾經踏足此處的名流之士，做為嶄新一天的起點。

與美國「惠特尼雙年展」（Whitney Biennial）、巴西「聖保羅雙年展」（Bienal de São Paulo）堪稱全球三大藝術盛典的威尼斯雙年展，肇始於一八九五年，已經有超過百年的傳統，是威尼斯人引以為傲的世界第一雙年展。Biennale在義大利文中意指「每隔兩年」，而提議每隔兩年舉辦展覽的是義大利詩人加布里埃爾．鄧南遮（Gabriele d'Annunzio）——他主張藝術的淬鍊至少需要經歷這樣的間隔，才足以為藝術界帶來全面性的變化。

從聖馬可廣場搭乘水上巴士前往展場「綠園城堡」（Giardini di Castello）途中，可以看見中心展館和依次羅列的二十九座各國展館。這樣的安排不僅提升參展樂趣，也是威尼斯雙年展被譽為「藝術界嘉年華」的原因。

仔細參觀過主題館後，我轉身前往國家館，除了看看韓國館，品味各國不同的文化特質，感覺也饒富興味。與其說是「參觀」，我想「體驗」會是更恰當的詞彙。其中有許多獨特鮮明、立體感強烈的作品，處處可見擺弄姿勢的行為藝術家，整座城市就是他們展演的舞台。

孕育畫家的搖籃，也是畫作中的優雅美景

自十六世紀中葉開始，以「藝術中心」盛名廣為人知的威尼斯，即培育了許多義大利畫家。華麗巴洛克藝術先驅、被譽為「色彩魔術師」的提香（Titian），以威尼斯畫派獨有的色彩主義揮灑創作；保羅·維洛尼塞（Paolo Veronese）以迷人構圖搭配絢麗色彩，樹立無可取代的自我風格；文藝復興晚期最具代表性的威尼斯畫派大師丁托列多（Tintoretto），藉由充滿動感的構圖與強烈的明暗對比，展現豐富戲劇性。十八世紀，以神話與聖經故事為題材、使用革新技法創作穹頂畫的提埃坡羅（Giovanni Battista Tiepolo），其作品《背著十字架的基督》（*Christ Carrying the Cross*）、《逃往埃及》（*The Flight into Egypt*）等，也為世人所熟知。

此外，描繪威尼斯景色的畫家也大有人在。一八八一年，初次造訪他國的雷諾瓦，便畫下了幻想世界般的《威尼斯總督宮》（*The Doge's Palace,*

Venice），以表達自己深深為威尼斯的光采水色所傾倒。望著碧波蕩漾的威尼斯，我除了聯想到莫內的《總督宮》（*The Palazzo Ducale*），也想起莫內的啟蒙恩師，擅長描繪海邊風景的法國印象派畫家尤金．布丹（Eugène Boudin），其筆下一幅幅洋溢懷舊與寧靜氣息的威尼斯景致。還有薩金特、馬內、法國畫家亨利．馬丁（Henri-Jean Guillaume Martin）等數之不盡的創作者，都曾將威尼斯的優雅美景收藏於畫作之中。

與完美無缺的平靜，不期而遇

隨性漫步在威尼斯街頭，轉進不知為何處的老舊建築間；仰望天際，湛藍天空下飄揚著一件件洗淨的衣物。一如「水都」美名，威尼斯四面環海。正當我在迷宮般的複雜巷弄間失去方向時，突然驚覺自己似乎走進了死巷。我向陽台上晾著衣服的中年婦人問道：「這裡是盡頭了嗎？」她笑著回答：「這裡雖然是盡頭，卻也是另一個方向的起點。」

此刻，我才聽見平靜的海浪聲，略腥的海水味，反而如此安撫人心。走在陽光燦爛的街道，不時湧現想大哭一場的感覺……想著「只要再過一會兒，一切都會好轉」，刻意什麼都不做，只是慢慢地走著、走著，其實也能得到安慰。

好不容易走出小巷，我發現自己已不知不覺抵達了嘆息橋。薄暮敲響了鐘塔，傳說中，只要在穿越嘆息橋下的貢多拉船上擁吻，便能成就永恆之愛……深陷愛河的戀人們，成雙成對地迎著海風，紛紛聚集於此。一邊搖槳、一邊高唱義大利民謠 *Santa Lucia* 的樂師，驀然令我腦中浮現電影《情定日落橋》（*A Little Romance*）的場景。

偶然撞見的寧靜景象，為我心帶來衝擊。迷路，其實是一種幸運；在那一段旅程中，我找到了完美無缺的平靜，任何情緒都無從顛覆的平靜。夕陽籠罩著陳舊橋墩，絢爛的暈紅紫光，將大地染成一片難以言喻的靜謐。一筆恬靜、一筆清澈、一筆溫柔，畫成了威尼斯獨有的景色，恰似德國風景畫家法蘭茲．李察．安特伯格（Franz Richard Unterberger, 1837-1902）筆下的《威尼斯運河》（*The Grand Canal, Venice*）。

《威尼斯運河》——畫下旅人悠然浪漫的心境

出生於因斯布魯克的安特伯格，深受藝術品收藏家父親的影響，在旅經義大利拿坡里、阿瑪菲、熱那亞時，蒐集了大批藝術品，也留下許多優美的風景畫，其中尤以描繪威尼斯景色的作品數量最多。完美刻劃浪漫而壯麗的城市景致，《威尼斯運河》漫溢的寧靜，不言而喻。蔚藍的天空綻放朵朵白雲，海鷗自由自在地飛越運河。一名撐著陽傘的女子，乘著貢多拉出遊。粼粼綠波托著船身，威尼斯的恬靜日常與蕩漾水波，栩栩如生地躍然於畫面之上。

為了呈現完整的景色，畫家採用遠處俯瞰的視角；心曠神怡的畫面，是畫家呈獻給你我的一份名為「悠然」的厚禮。安特伯格一邊旅行、一邊畫下旅人的內心，看著他的畫，就好想立刻動身前往某處……

《威尼斯運河》／法蘭茲．李察．安特伯格
板面油畫，46.7×34.6cm，私人收藏

英國作家安東尼・伯吉斯（Anthony Burgess）曾說：「對人性感到灰心的人，應當去一趟威尼斯，從此便不會再有灰心的念頭。人類如果能建造這樣偉大的城市，其靈魂就有被救贖的價值。」傾盡全力、揮灑鬥志建築而成的威尼斯美景，讓我們知道人類的意志力有多麼強悍，也讓我們領悟絕望並非終點。

迷失在威尼斯街頭時，偶然找到的那份完美無缺的平靜，不僅徹底撫慰了我，還教會我「路的盡頭即是起點」。路的存在，不只為了離開，也為了歸來。總有一天我會再回來，這座讓人不得不為之著迷的城市……威尼斯的每一幕，盡收於我心深處。

挫折與雷陣雨，很快就會過去

大家都說想一窺少女峰的面貌，得看老天爺賞不賞臉。
正當我心灰意冷地想著，「看來自己的幸運額度早已用盡」，
狂暴的雷陣雨竟意外停歇了下來，太陽懶洋洋地露出臉龐……

身心俱疲的自己，渴望在遠行中稍獲喘息

身處永恆輪迴的世界，生存是我唯一的目的。為此，我鞠躬盡瘁；然而挫折卻像線團一樣綿延不絕，頑固的不安情緒，一再湧現。被絕望擊潰的日子，不斷地上演，彷彿人生即將就此落幕。層層疊疊的落空衝擊，一把將我推進泥淖般難以動彈的無力感之中。

被世界傷得滿身瘡痍、萬念俱灰的我，來到了這裡。接二連三的磨難，引領著不諳英文的我抵達此處。雖然不知道能在旅程中獲得些什麼，我卻很清楚應該要拋下些什麼。

在鳥鳴聲中甦醒，我推開窗戶，感受空氣中的沁涼。這個以阿爾卑斯山為庭園、巴哈阿爾普湖為散步小徑的山村——格林德瓦（Grindelwald），

座落於海拔一千零三十四公尺處，放眼即能望盡瑞士全境。我坐在陽台上，享用完豐富的早餐後，隨即準備登上少女峰（Jungfrau）。

被稱為「歐洲之巔」的少女峰，是海拔四千一百五十八公尺的雪山。為了對抗高山症與嚴寒，我備妥糖果、巧克力等簡便的糧食，以及能隨時補充的水分，然後拿了件厚外套，便起身前往格林德瓦車站。過了一會兒，登山火車隨即抵達。自一九一二年起營運的登山火車，有百年以上的悠久歷史，迄今仍為旅人帶來便利，使其飽覽沿途美景。

出發不久後，即可見到翠綠草原上集聚的瑞士傳統牧人小屋 Chalet。家家戶戶皆以鮮花裝飾窗台，十分醒目；坐在庭院的餐桌邊悠哉享用熱茶的居民，神情泰然。生活在如此清幽的環境中，這裡的人們天性善良、悠然，似乎完全沒有壞心眼或急驚風之類的性情。行經小丘的牛群，晃著叮咚作響的鈴鐺；清閒嚼著嫩草的羊群，讓人有種置身童話世界的錯覺。不見噪音與塵埃，清新而芳草如茵的景色，使我的心境安穩許多。

就在我沉醉於美景之際，天色驟然昏暗，烏雲鋪蓋而來，倏忽下起傾盆大雨。等到天一放晴，暴雨又在轉瞬間落下，反覆上演著乍晴還雨的戲碼。我不禁憂慮起這令人毫無頭緒的天氣，也似乎突然弄懂了Jungfrau這個字意指「年輕少女」的緣由——這座山峰就像羞澀的少女一般，猶疑著要不要為你一展美麗容顏……

《雨》——雨絲沖刷了大地，也洗滌了傷痛

我一邊祈求著天空趕快放晴，一邊從包包裡拿出一幅圖片——德國印象派畫家馬提亞斯・艾騰（Mathias Alten, 1871-1938）的《雨》（*Rain*）。

每當偌大的世界下起雨時，我便會想起這幅畫。在滂沱大雨中，專注地看著它，便能聽見從畫中滲出的雨聲，正在對我傾訴；就在全神貫注的剎那，我找到了自己。即便撼動人心的風景帶來了無比喜樂，我卻不由自主地紅了眼眶……一幅畫所帶來的餘韻，是如此強而有力。

有名女子站在湖中央，以全裸的軀體淋著雨，她攤開雙手，靜靜體會雨滴的觸感。獨自佇立在沒人看見的湖邊，享受一絲不掛的自由，著實令人欽羨。雨水浸濕大地，湖中蕩漾起一圈圈漣漪，樹木紛紛將身軀沉浸在這場及時雨裡，一掃大白天的煩悶熱氣。

雨絲滑落女子的胸膛，一點一滴地洗滌長久以來淤積於內心的傷痛。煥然一新的大地，散發出綠草的土腥味，女子深深吸入一口清新的空氣。

為了脫離戰爭與貧窮，艾騰在十八歲那年與家人一起移民美國。從那時起，他便為了維持生計，輾轉在家具工廠、辦公室、電影院等地工作。基於這樣的家庭背景，艾騰起初並沒有提起畫筆的餘力，一直到十幾年後，出現了富裕的贊助者，他才正式開始作畫。

《雨》，1921／馬提亞斯・艾騰
布面油畫，91.44×91.44cm
美國大急流城公共博物館（The Grand Rapids Public Museum）

後來，艾騰在贊助者協力之下前往巴黎留學，一邊在學院念書、一邊踏上畫家之路。不知不覺間，他就這樣創作了許多洋溢獨特印象派畫風的靜物畫、肖像畫和動物畫，躍身為美國密西根州大急流城（Grand Rapids）舉足輕重的畫家。

風景畫尤其能彰顯艾騰的繪畫長處。有別於當時趨之若鶩描繪美國遼闊風景的畫家，艾騰巧妙地將自己的情感與繪畫融合，其畫作帶給你我的感動，往往遠勝於驚嘆。經常在美國與歐洲各地旅行並創作的他，偏愛搭乘馬車而非火車，不然就是以徒步、騎驢等方式移動，享受旅途的簡樸之趣。

艾騰不屬於任何學派，因此能不受拘束地創作；而透過旅行，他也堅定了自己成為畫家的意志。贊助者的出現，對他而言確實是天大的幸運；萬一沒有這份資助，艾騰可能終生都無法畫畫，更遑論成為畫家。一想到此，讓人心裡不禁有些酸楚。

大自然不發一語，卻早已道盡千言萬語

心思晃盪的我，又看了看畫……不知不覺火車已經抵達山頂。擔憂，終究成了事實。眼前一片白茫茫的世界，完全被雪覆蓋。雨水弄濕頭髮，強風吹拂耳際，霧氣籠罩全身……好不容易穿越洩洪般的暴風雨躲進瞭望台，我趕緊喝了杯熱可可暖和身子。

在無計可施下，時間一分一秒過去，幾乎決定要放棄的我，呆呆地凝望窗外。大家都說，想一窺少女峰的面貌，得看老天爺賞不賞臉。正當我心灰意冷地想著，「看來自己的幸運額度早已用盡」，狂暴的雷陣雨竟意外停歇了下來。太陽懶洋洋地露出臉龐，就像巨人般呼地一聲，吹走了霧氣與烏雲。過一會兒，天空不可置信地轉為萬里無雲的蔚藍，我總算親眼見到瑞士真正的自然景色。

為了將眼前不知幾時還能再見的壯麗景象，用眼、心、身牢牢記住，我匆匆忙忙跑到室外。走過點著藍色燈光的冰宮，踏出瞭望台的瞬間，一片淨白雪原映入眼簾，這是唯有親身登頂才得以體驗的雄美、遼闊。懸崖峭壁襯托出峽谷的美麗，無邊無際的山脈令人切實感受天地間的浩然之氣。一如「上帝雕琢的阿爾卑斯山寶石」之美譽，少女峰的裡裡外外儼然就像一幅畫，隨手拈來皆是一張美景明信片。

與天空連成一線的山峰，更顯少女峰的壯麗。我實在無從推估，究竟需要歷經多少歲月，才有辦法完成眼前這幅作品。不妨就把這一切稱為大自然的傑作吧！大自然果真擁有瞬間卸除人類武裝的力量……我暫時忘卻了嚴寒，反覆讚嘆萬年冰雪籠罩而成的這處秘境。

過去那段時間所經歷的無常變化，甚至比持續不斷的雷陣雨更加難熬，濕透了身體，疲憊了心靈……挫折沒有盡頭，希望不見蹤影。然而，站在大自然面前，挫折早已成了雲煙，僅僅留下內心真正重視的東西。

大自然不發一語，卻早已道盡千言萬語。儘管置身步步艱辛的世道，我仍然感激能獲得暫時的喘息，快樂地享受天賜美景。在沉醉於自然之美時，我轉而回頭看了看自己。每一個當下都是完成品，卻也永遠尚未完成……大自然告訴了我——希望，往往就在挫折裡。

我們的人生，總是為了戰勝挫折，而緊抓著未成熟的希望。人生在世，就是如此有趣，卻也煎熬。我早已明白、卻也常忽略的一件事，那就是——挫折與雷陣雨，很快就會停歇、過去。

堅持下去，
才能成為完整的「我」

無法被沙龍認同的印象派畫家，
煩惱著究竟該放棄所追求的畫風、或是堅守自我風格。
而當時默默無聞的他們畫下的作品，如今已是世界各大美術館的珍藏。

飄盪著畫家靈魂的巴黎，俯拾皆是藝術

我沿著塞納河慢慢地走著，不知不覺抵達了奧塞美術館（Musée d'Orsay）。鑲滿華麗裝飾的建築，處處散發著雄偉氣派，排山倒海似地震撼我的雙眼。一踏進館內，立刻感受到火車站的獨特氣氛，一座大鐘率先映入眼簾，這是該館過去曾為火車站的象徵物，原為懸掛於建築外部的兩座大鐘之一。昔時仍被稱為「奧塞宮」的最高法院，在大火中付之一炬後，於一九〇〇年重建為「奧塞站」，歷經三十九年的鐵路營運而關閉，最後又在一九七九年重啟改造，成為現在的奧塞美術館。

奧塞美術館是巴黎三大博物館之一，如果說羅浮宮坐擁世界最大博物館的規模、龐畢度中心集現代藝術之大成，那麼主要展示十九世紀印象派畫作的奧塞美術館，堪稱是「印象主義美術館」。走進美術館三樓

被稱為「奧塞美術館精華」的展場，隨即可見印象派大師們的作品一字排開——梵谷的《在亞爾的臥室》（*Bedroom in Arles*）、高更的《大溪地女人》（*Tahitian Women*）、馬內的《奧林匹亞》（*Olympia*）、竇加的《露天咖啡座的女人們》（*Women on a Café Terrace*）、保羅·塞尚（Paul Cézanne）的《浴者們》（*Bathers*）……不計其數的鉅作齊聚一堂，著實令人亢奮。

在這其中，最吸引我目光的是雷諾瓦的畫。除了巔峰之作《煎餅磨坊的舞會》（*Dance at le Moulin de la Galette*），還有《彈鋼琴的少女》、《浴女》（*The Bathers*）、《鄉村之舞》（*Dance in the Country*）等，不勝枚舉的作品近在眼前。與《煎餅磨坊的舞會》並列為雷諾瓦嘔心瀝血結晶的《鞦韆》（*The Swing*），更是讓我印象深刻，這幅畫曾被法國作家埃米爾·左拉（Émile François Zola）用於小說《愛的一頁》（*Une page d'amour*），無疑是印象派引以為傲的作品。描繪舞會景象的《煎餅磨坊的舞會》，成功傳遞眾人興高采烈的氛圍；刻劃女子盪鞦韆樣態的《鞦韆》，則完美流露悠然、嫻靜的韻致。

這些畫作的感覺類近於羅浮宮的《閱讀》（*Reading*），以及橘園美術館的《花園中的嘉比葉》（*Gabrielle in the Garden*），皆是以妙齡女子為畫中主角，勾勒絢麗光芒的筆法，非常地「雷諾瓦」。生前經常在羅浮宮研究歷代大師作品，埋首於古典藝術與印象主義的雷諾瓦，如果知道自己的畫作被高懸於羅浮宮、奧塞美術館、橘園美術館等世界頂尖美術館，不知會做何感想？越看雷諾瓦的畫，就越想跟隨他的足跡而去。

漫步蒙馬特，追尋印象派畫家的足跡

走在飄盪著諸多畫家靈魂的巴黎，俯拾皆是藝術；被譽為「畫家之路」的蒙馬特，更是如此。至今仍可見到藝術家們在此展示自己的作品，有展開畫架為女子描繪肖像的畫者，也有展現各式姿態的表演者。

在蒙馬特的街道上，處處都能感受到我之前剛在美術館看到的，雷諾瓦的畫中光景。我想起了以幻境般筆法呈現女性散步姿態的《蒙馬特的花園》（*A Garden in Montmartre*），以及勾勒蒙馬特科托街庭園裡盪鞦韆女孩珍娜的《鞦韆》。除了雷諾瓦，梵谷、畢卡索、亨利・德・土魯斯—羅特列克（Henri de Toulouse-Lautrec）等不勝枚舉的畫家，都喜歡選擇《煎餅磨坊的舞會》中的煎餅磨坊為創作主題，這個地方如今則以餐廳形式座落於蒙馬特山丘上。今日的蒙馬特，與一百多年前雷諾瓦筆下的景色差異不大，親自踏訪曾出現在他作品中的場景，彷彿能聽見一段段穿越時空而來的故事。

對畫家而言，當時的巴黎是靈感泉源，尤其位在蒙馬特巴提紐勒大道的蓋爾波瓦咖啡館（Café Guerbois），更是孕育印象主義的搖籃、近代藝術的發源地。無法被重視傳統的沙龍認同的印象派畫家，經常聚集於此，討論嶄新的藝術型態。他們煩惱著究竟該放棄所追求的畫風，以求在沙龍嶄露頭角，或是堅守自我風格，舉辦印象派畫家專屬的聯展。當時默默無聞的他們畫下的作品，如今都成了世界各大博物館收藏的展品……或許，選擇「專一」而非「第一」，終究才能淬鍊出「第一」吧？

漫步於蒙馬特，感受著他們的氣息，轉眼已是入夜時分。即使印象派畫家的秘密基地蓋爾波瓦咖啡館已不見蹤跡，蒙馬特仍存在許多歷史悠久的咖啡館。我找了一個有百年歷史、古色古香的露天咖啡座坐下歇息。當我正觀看著路人、悠哉地喝著咖啡，突然有個畫面攫住了我的視線：一對緊握彼此的手漫步的老夫妻。

手上戴著大大情侶戒的奶奶，穿著強調腰線的合身服裝、踩著紅色法式高跟鞋，發出叩叩的聲響行走著；她身旁把貝雷帽壓得扁扁的爺爺，則穿著可愛的吊帶褲，搭配具有畫龍點睛效果的蝴蝶領結。不單只是因為兩人吸睛的時尚打扮，還有某種難以言喻的感覺，頓時震撼了我……

他們倆恰巧坐在我的鄰桌，爺爺替奶奶拉開椅子、奶奶替爺爺擦汗的畫面，真的好美……他們看來都是很懂得愛自己的人，再用這樣的態度去愛對方，一如雷諾瓦、梵谷、馬內等印象派畫家，終其一生堅守個人風格，永不放棄自己獨有的美，並且自然、自信地散發這份優美，撼動世人的心。儘管我曾為繪畫或音樂著迷，可是為「人」，甚至還是為一對「老夫妻」著迷，似乎還是第一次。

皮耶—奧古斯特．雷諾瓦——藉由畫筆，珍藏人生喜樂

老夫妻喝著咖啡暢談的模樣，讓我出神地凝望了好久。那個畫面宛如雷諾瓦（Pierre-Auguste Renoir, 1841-1919）筆下的《一杯茶》（*The Cup of Tea*）——畫中有對中年夫妻悠閒地並肩喝茶，是一幅洋溢愛與幸福的作品。

外出散步的夫妻，隨興找了間咖啡館坐下。兩人的目光聚焦在女服務生傾倒的茶，淺淺揚起一抹微笑的妻子，交疊雙手靜待品茗。泡泡袖洋裝輝映著光線，以紅花裝飾而成的絢麗帽子，更顯女子的可愛。身旁穿著深色套裝、翹起腳的丈夫，模樣帥氣；鼻下修剪整齊的鬍鬚，以及捲起一側帽沿的軟呢帽，顯現性格十足的裝扮。有隻小狗坐在一旁，陪伴共度閒暇時光的夫妻，不知是否被四溢的茶與美食香氣所吸引，小狗興奮地伸吐著舌頭。籠罩整體畫面的繽紛光采，深具撫慰人心的力量；絕妙的色彩變化，優美而溫暖。

看著如斯景象，我猛地想起電影《雷諾瓦》（*Renoir*）中的一幕。某天，飽受關節炎折磨，雙腿、甚至連手指都無法動彈的雷諾瓦，索性將畫筆綁在手上作畫。他對著認為父親「畫得已經夠多了」，苦苦勸阻他別再作畫的兒子回答：「痛苦終將過去，美麗卻能長存。任務還沒完成，我會一直畫到力氣完全耗盡的那一刻。」

對於直到離世前仍始終埋首創作的雷諾瓦而言，繪畫是他的一切，也正是「他」。雷諾瓦的哲學，是將一切美麗、愉快的事物化作繪畫，如果無法享受作畫，那麼也失去了作畫的理由。因此，他選擇藉由繪畫，珍藏人生喜樂。

這樣的人生態度，成為了讓「他」之所以是「他」的力量。或許，這就是終其一生描繪明亮、燦爛畫作的雷諾瓦，最終想要傳達給你我的訊息吧？——放肆地愛！開懷地快樂！人生，是如此美麗而幸福。

《一杯茶》，1906-1907／皮耶—奧古斯特・雷諾瓦
布面油畫，私人收藏

夏夜涼風，
帶我重臨美好往昔

隱約映照著夕陽餘暉的海中央，是冰與火的共存點，
一如同時存在的冷靜與熱情、理性與感性、現實與幻想。
有幸送別短暫卻美麗無限的夕陽，已足以為這趟旅程畫下完美句點。

甩開忙碌的藉口，來趟說走就走的旅行

夏天離場，秋天尚未登場的九月某日，我坐在窗邊喝茶，任憑涼風搔癢鼻尖。應該起身離開的理由多不勝數，但即使該走的原因遠多於留下的理由，我們卻始終無法就此起身。顯然地，因忙碌而無法抽身的人，就算有了時間，也不會行動；今天無法啟程，明天也同樣不會出發。我立刻打了通電話給朋友，突如其來的一句「我們去釜山吧！」，隨即宣告了三個女人的釜山之行。

幾小時後，我們在首爾車站碰面。一個剛收工，看起來十分憔悴，另一個細心地帶齊了所有旅行的必備物品，看著天差地別的這兩人，我不禁噗哧一笑。

為了一到釜山就能迎接日出，在首爾車站稍事休息後，我們便搭上接近子夜十二點出發的火車。我們把行李擺進座位，拿出先買好的漢堡和飯捲，邊吃邊開懷聊天，火車轟隆轟隆地開動了。不知是否因為暫時擺脫了日常生活的枷鎖、跳過某些繁瑣的環節，在旅途中分享的事物，總是相對地深入。正當我們沉醉於愉快的心情、盡興交談之際，寂靜已悄悄流竄於車廂間。

各自凝視窗外的我們，開始聽起音樂。我一按下 Play 鍵，耳機隨即傳出愛爾蘭歌手戴米恩・萊斯（Damien Rice）的歌曲 *Amie*，歌詞一開始就訴說著："Nothing unusual, nothing strange. Close to nothing at all." 大意是指「沒什麼不尋常、也沒什麼怪事，總之一成不變。日復一日的生活、千篇一律的雨，找不到驚人的爆點。不過老了幾歲，僅此而已……只是個呆站原地，不知該前往何處的士兵。告訴我你仍相信，當世紀末來臨，將為你我的人生帶來改變。」輕快的歌詞、沉重的故事，優美的旋律喚醒了好心情。

原本我們打算在凌晨左右抵達釜山後，隨即搭計程車前往海雲台迎接日出……只是人生嘛，計畫永遠趕不上變化。因為不知名的理由，火車無可奈何地誤點好幾個小時，哪裡也去不了的我們被困在上頭苦等了好一陣子，總算到達釜山車站，時間已是早上八點。被迫更動行程的我們，決定先前往「釜山雙年展」。這項展覽結合了釜山青年雙年展、海洋藝術節和國際戶外雕刻研討會，並自二〇〇二年更名為「釜山雙年展」，為兩年一期的重要藝術展覽。

與摯友相伴同遊，生命中的吉光片羽

參觀了釜山市立美術館內的主題展覽後，想要看特展的我們，隨即前往釜山文化會館。從造型奇特、需要更高接受度的抽象創作，到寫實美學的具體實踐，展覽內容十分多元；此外，也有邀請參觀者親身體驗、或是取材自日常生活的各種創作。打破不同種類作品的框架，使兩者均衡並存的藝術嘗試，尤其令我印象深刻。

跟隨著來自世界各地的知名藝術家，瞭解形形色色的有趣故事、偶爾沉醉在滿溢感性的作品中……不知不覺，時間已近黃昏，我們急忙趕往海雲台。

在住宿處放好行李，我們立刻奔向海邊、踏上沙灘。夏天的尾聲將盡，正擔心涼風襲人的初秋會不會有點清冷，才剛把雙腳泡進海水裡，那舒服、溫暖的感覺，隨即讓人忘卻上一秒的憂慮。玩了一陣子水後，我們回到沙灘並肩而坐。大家總說，只要有三個女人聚集的場合，鐵定吵鬧不休，但在那一瞬間，我們卻像事先約定好似地，全都沉默不語，只是靜靜聆聽海浪低吟，凝望著遠方的地平線，好久、好久……

當我們還深深沉醉於海邊的靜謐時，太陽已在眨眼間開始西斜。僅僅一剎那，鮮艷的夕陽就像被染得鮮紅的地毯一樣，如閃電般耀眼，潑灑而下的金黃餘暉，幾乎占領了整片海雲台。

隱約映照著夕陽餘暉的海中央，是冰與火的共存點，一如同時存在的冷靜與熱情、理性與感性、現實與幻想，其價值更甚於任何金玉其外的事物。即使沒能見到日出，但有幸送別短暫卻美麗無限的夕陽，已足以為一切畫下完美句點。

溫斯洛・霍默——用柔美的光，述說大海的故事

說走就走的這趟旅程，無疑將成為我畢生難忘的回憶。為如詩如畫的美景與美食而著迷，為耐人尋味的見聞與藝術而喜悅；最美好的是，身邊有著摯友們相伴。絢爛難忘的那片海景，讓我想起美國寫實主義畫家溫斯洛・霍默（Winslow Homer, 1836-1910）的《夏夜》（*Summer Night*）。被稱為「海洋畫家」的霍默，多以波濤洶湧的海洋和烏雲密布的天色為創作主題，作品呈現蕭瑟卻動感十足的氛圍。這幅畫是他少數流露平靜、溫和氣息的作品，因此更加珍貴而別具意義。

微涼的海風輕拂耳際，波濤衝擊巨岩，拍打出節奏聲響，與海風合奏出一曲優美的旋律。將身軀託付給這首海洋奏鳴曲，兩名女子像是被施了魔法般盡情舞動。雙腳踩踏白沙，多情地細語綿綿；置身月光籠罩的海邊，兩人恰似做夢般騰空飛翔。彷彿被相機的閃光燈打亮，大海不停歇地閃耀著；燦爛的波瀾，碎成一朵朵雪白浪花。坐在石頭上凝望海洋的群眾剪影，恰與大海融為一體。沒有光采奪目的太陽、沒有令人搖頭的噪音，沉寂的夏夜，就像母親的懷抱一樣，寧靜而溫暖。霍默以繽紛色彩和純熟筆法，勾勒出屬於大海的故事，醉人而朦朧的夏夜。

《夏夜》，1890／溫斯洛．霍默
布面油畫，76.7×102cm，法國巴黎奧塞博物館（Musée d'Orsay）

在這幅創作於一八九〇年的作品中，霍默將重點聚焦於「光」，以柔美的光線效果如實呈現海景。一八九一年，《夏夜》於紐約某畫廊初次面世時，慘獲《紐約時報》以外的所有媒體與評論家一致惡評；但在九年後的一九〇〇年，這幅畫卻在巴黎世界博覽會沙龍展榮獲金牌獎，成為霍默的代表作。他甚至表示，打算將這面金牌一起帶進棺木長眠，由此不難得知《夏夜》對霍默存在何等重大的意義。

雖然無法與霍默的鍾愛相提並論，但在他為數眾多的作品中，《夏夜》也是我最喜歡的一幅畫。畫作本身固然美麗非凡，但更重要的是，它原原本本地喚回了我的青春記憶。橫衝直撞的躁動感、勇敢狂奔的夏夜空氣，偶爾會從我內心深處湧起。畏懼卻勇敢、笨拙卻熱血的那段時光，就在橫衝直撞之際，轉瞬消逝；正因為再也回不去了，變得更加朦朧不清……或許，當時留下的慨嘆，終將鋪陳為重臨往昔的伏筆。

能留下一個回到過去的理由，真好……

會墜落的東西，都有翅膀

一如奧地利詩人巴赫曼所言：「會墜落的東西，都有翅膀。」
我相信，即便置身無盡墜落之境，
我們仍能懷抱希望，期待有一天再度振翅高飛……

想要靠近天空，體會真正的自由

曾以為是土地的地方，卻是沼澤。奮力蹬著腳，想著哪怕是一根稻草也要緊緊抓牢，掙扎的軀體反讓自己越陷越深，最終仍難逃慘遭吞噬的命運。那個不容許掙扎的地方，正是你我置身的世界。墜落的終點究竟在哪兒？一如文藝復興畫家老彼得．布勒哲爾（Pieter Bruegel de Oude）的《伊卡洛斯墜落風景》（*Landscape with the Fall of Icarus*），畫中可憐的主角僅剩雙腳在半空中胡亂踢動，旁人卻只是苦苦相勸或保持沉默，未曾伸出援手。我同樣也只能擇一而行——就此死去，或者拚了命的飛翔。

兩天前抵達土耳其西南小村落的我，正漫步在歐魯丹尼茲（Ölüdeniz）海灘。Ölüdeniz意指「死海」，源自此處有如死亡般寂靜的海浪聲。名符其實的平靜大海，立刻擄獲我心。戴上耳機，走著走著，我不自覺停下腳步。不知道是因為美得耀眼的海洋、或此刻耳邊響起的音樂，我只知道自己的淚腺故障了。闔上雙眼，我任憑淚水與溫煦的陽光撫慰自己；體內的每個細胞都醒了過來，靈敏地做出反應，讓溫熱氣息流竄心底。

抬頭一看，發現有人在空中飛翔，看來自由無比……我忽然有些好奇，那是什麼感覺？於是對「天空」產生了興趣。對天空一無所知的我，只知道一旦開始飛翔，唯有不斷往前，才能免於墜落。我想，享受飛翔的過程，遠比飛翔這件事還重要許多。

我決定鼓起勇氣。大致準備好，我走出飯店，見到一輛凶神惡煞般的卡車，便不假思索擠了上去。擠滿高壯白人男子的空間，赫然出現一名東方女子，深感不可思議的眾人紛紛探頭探腦地望向我。我露出尷尬的笑容，先行點頭示意。卡車轟隆隆地發動後，全車隨即陷入一片死寂。

與大海面對面相視的陡峻石山，即是海拔兩千公尺的巴巴達山頂，也是滑翔翼飛行的起點。不過，這是怎麼回事？卡車出發不久後，我開始起疑……難不成「死海」的稱號並非源自平靜的海浪聲，而是真的有人曾經、或即將葬身於此……

隨便一動就立刻會滾出去的破爛卡車上載了十幾個人，個個夾緊屁股，好不容易才熬過既沒護欄又窄到不行的彎曲沙石路。不知是車速太快、還是有其他原因，沙塵飄揚的情況非常嚴重，崎嶇不平的石子路，每每讓人懸浮在足足有十五公分高的半空中。三魂嚇掉七魄的我，全身汗毛豎立，確確實實有種生命受到威脅的感覺。我一邊憂慮：「究竟還要開多久？死在這裡怎麼辦？」一邊狠下心覺悟：「真的注定死在這兒，也只能接受啊！」正當兩種思緒來回拉扯，卡車總算抵達山頂。勉強平復呼吸的我，環視四周。人果然是健忘的動物，眼前令人驚嘆的景色，讓我瞬間忘卻置身萬丈懸崖的恐懼。

《陽光明媚的山谷》——昂然自得的堅毅勇氣

我大口大口地呼吸清新的空氣，面對讓人卸下心防的壯闊風景，彷彿走進查爾斯・柯倫（Charles Courtney Curran, 1861-1942）所畫的《陽光明媚的山谷》（*Sunlit Valley*）。柯倫是美國印象派畫家，擅長以天空、風、陽光為背景，描繪女性的姿態。畫中，一名女子昂然自得地站在山頂，光是看著她的模樣，自己彷彿也能實際感受箇中暢快。

登上山頂，映入眼簾的是另一個世界。穿越低空籠罩的霧氣，放眼即是一望無際的平原，自天而降的光采，從頭到腳輝映著女子。正當地平線另一端的山峰潛入山嵐，無邊無際的翠綠光輝，遍灑寰宇。萬里無雲的湛藍天空下，女子堅毅地佇立。赤腳而站的她，以全身迎接山風，俯瞰群峰的姿態，傲氣十足。燦爛的陽光與廣闊的平原，佐以女子大無畏的神態，瀰漫令人肅然起敬的感動。

激動與恐懼，伴隨著「歷經千辛萬苦，總算來到這裡」的念頭，我想像柯倫畫中抬頭挺胸的女子，知道自己一定做得到。勒緊頭盔、再次綁緊

《陽光明媚的山谷》，1920／查爾斯・柯倫
布面油畫，76.7×50.8cm，私人收藏

鞋帶，我拖著滑翔翼的背包，緩緩走向懸崖。化成翅膀的超大滑翔翼，在大地之上唰地展開，我深吸一口氣，然後再吐氣，瞬間想起司馬遼太郎在《宮本武藏》中所寫的文句：「即便人類無法像鳥一樣翱翔天際，但只要下定決心，再高的地方，也無法阻止人類一躍而下。」

再度深呼吸，我隨著飛行員 “Run! Run! Run!” 的喊叫聲加速前進，蹦地一聲，身體霎時騰空而起。飛向光用肉眼看都覺得暈眩的高空，原來僅僅需要幾步。我有一種變成鳥的感覺……所謂「自由」，大概就是用在這種時候吧？我似乎有點能體會，萊特兄弟為何會如此執著於飛上天際了。環顧四周，能見之物唯有天、海、雲。風拂過雙頰、雲掠過耳際，發出聒噪的聲音。整副身軀乘風飛翔，我張開雙臂，微微擺動雙腳，像是在空中漫步似地。

腳下貌似小狗的大島，因被選為電影《藍色珊瑚礁》（*The Blue Lagoon*）的拍攝場景而聞名，而我竟然有幸將這片美麗的藍色潟湖盡收眼底……一如沙漠之美，在於胸懷綠洲；海洋之美，也是因為擁抱著島嶼吧？

旅行者的心情，就是這種顏色嗎？大自然的顏色，恰似灑落的顏料，夢幻般的色彩。此時若浸泡著雙腳，彷彿立刻便能感受藍綠交融的水波潺流。漸層翠綠的地中海，像寶石般閃閃發亮，水天一色，難分你我。每當難以用辭令形容的藍綠波光一閃耀，我便忍不住輕聲驚嘆。這樣的感覺，就像長久以來不斷做著深陷沼澤噩夢的我，猛然驚醒，卻發現自己正在空中翱翔的奇妙心情，來回穿梭於恐懼與沉醉之間。

墜落，或許才是讓人振翅高飛的唯一方法

飄盪在空中好一陣子後，我降落在海邊。花了好一番工夫準備飛翔，下降卻只需要一點點時間。帶著短暫卻強烈的翱翔回憶踏上土地，頓時覺得從天而降的陽光，格外親切。

人生的路途，險峻不已，宛如時刻踩在懸崖邊緣般，偶爾甚至會覺得無止盡地朝萬丈深淵墜落……發現自己正在無從見底的沼澤內拚命蹬腳，我選擇來到這裡。沒來由地，當展開體內早已被遺忘許久的翅膀、飛向天空時，我突然有個念頭——「墜落，或許才是讓人振翅高飛的唯一方法。」一旦飛上天際，眼前的樹，開始變成森林……那般龐然、沉重，壓得我幾乎喘不過氣的世界，不過是這般渺小而微不足道。我苦笑著，並清楚地知道，自己已有能耐重回那充滿苦難與煩悶的日常。

一如奧地利詩人英博格．巴赫曼（Ingeborg Bachmann）在《遊戲終止》（*Das Spiel ist aus*）這首詩作中所言：「會墜落的東西，都有翅膀。」我相信，即便置身無盡墜落之境，我們仍能懷抱希望，期待有一天再度振翅高飛……不，應該說，我想如此相信。

我坐在歐魯丹尼茲海邊，凝望粉紅色的餘暉，下定決心要再飛一次……或者說，第一次想要憑藉自己的力量翱翔。

每個偶然，其實都是奇蹟般的必然

回顧過往，每一段看似「偶然」的緣分，
其實正是我人生中奇蹟般的「必然」。
或許，正是綿延不絕的奇妙緣分，串起了我們的一生。

走進泰特美術館，親炙英國大師傑作

倫敦的天氣，讓人完全摸不著頭緒，忽晴忽陰，一大早便嘩啦啦地下起大雨。就像泰特不列顛美術館（Tate Britain）的威廉・特納（Joseph Mallord William Turner）畫作一樣，這是陰沉、冷清的一天。幸好才剛離開飯店沒多久，我趕緊回去拿了把傘，再次朝美術館出發。

也許是因為大雨的關係，美術館內的人潮比意料中少。泰特不列顛是位於倫敦米爾班克（Millbank）的國立美術館，由當時富甲一方的企業家亨利・泰特（Henry Tate）捐贈私人收藏的藝術品與建設基金，於一八九七年建成，「泰特」之名也是取自這位捐贈者的姓氏。該館可謂是英國眾多美術館中，最具開放性、也最大眾化的一座，但在形成今日這番樣貌的過程中，實則也付出了許多努力。透過英國的千禧年計畫，泰特現代藝術館（Tate Modern）、泰特利物浦（Tate Liverpool）、泰特聖艾夫斯（Tate St Ives），以及擴建後的泰特不列顛，被整合成腹地更大、更現代化的美術館，開放免費參觀常設展、舉辦線上講座，並藉由社群平台積極地進行宣傳，期盼能成為貼近大眾的美術館。

看畫，需要選擇與專注。與其貪心地想看遍所有作品，更應重質不重量地選擇非看不可的作品。一次看太多，最終只會落得每一幅都無法認真欣賞。泰特不列顛收藏許多畢卡索、馬諦斯、惠斯勒、莫迪里安尼等知名畫家的作品，不過這裡更適合想要聚焦欣賞十七世紀以降近代英國大師傑作的參觀者。例如，十九世紀的一代巨匠威廉・特納的各式繪畫、維多利亞時代畫家約翰・阿金森・格林沙（John Atkinson Grimshaw）筆下的朦朧月色、英國引以為傲的前拉斐爾派畫家約翰・艾佛瑞特・米雷（John Everett Millais）的代表作《奧菲莉亞》（*Ophelia*），以及印象派畫家菲利浦・威爾森・斯蒂爾充滿感情的繪畫等，多采多姿的作品盡收於此。

想到馬上能見到這些畫作而雀躍不已的我，趕緊推開美術館的大門。走進入口，到處都是身穿紅色制服、來進行校外教學的學生，我看了看他們可愛的模樣，隨即走進展館，讓腳步自然地隨著目光所至前行。

《橋》——朦朧色調裹覆著細膩意境

我穿梭於展館之間，仔細專注地欣賞每一幅作品，而菲利浦・威爾森・斯蒂爾（Philip Wilson Steer, 1860-1942）的《橋》（*The Bridge*），讓我不由自主停下了腳步。畫作之美，瞬間使我屏息。能親眼見到喜歡的畫作，著實深為感動，果然唯有實體，才擁有如此強烈的震撼力……站在畫前，可以切身感受一筆一畫栩栩如生的氣息，完整展現作品的原有面貌。

薄暮籠罩，黑暗漸近，世界卻像點了燈一樣，隱隱約約地閃亮。斯蒂爾運用色彩的濃淡，將晚霞裡停泊的船隻、人們、遠方的海岸線描繪成黑色剪影；朦朧、簡潔的寂靜景色，則以留白的方式處理，更加突顯悠遠餘韻。畫中有對正在遠眺餘暉、相互交談的男女，倚著橋樑的女子，陶醉於優美的風景中，穿著帥氣褐色西裝的男子，側身站在一旁。日落時分，佇立在橋上對話的他們顯得悠閒而浪漫；光是看著兩人的模樣，內心就隨之湧起一股暖意。斯蒂爾描繪過許多海邊風景，這幅畫的場景則是位於英格蘭東南部薩福克郡的華伯史威克（Walberswick），以光芒流瀉的柔和景致與朦朧色調，細膩地傳達創作意象。

儘管是如此優美、傑出的作品，這幅畫在初次展出時，卻被評論家抨擊得體無完膚，尤其是「故意假裝不會作畫」、「亂七八糟的體態」等負評，甚至讓深感挫敗的斯蒂爾萌生放棄繪畫的念頭。在被既存框架束縛的評論家眼中，這是一幅極其不堪的作品。如同英國作家塞繆爾．詹森（Samuel Johnson）所言：「每一個世代都存在著需要糾正的新錯誤，以及需要抵抗的新偏見。」無論過去或現在，接受新事物，始終是件難事。

沉迷在斯蒂爾的畫作好一會兒，才驚覺手錶指針早已指著向晚。抱著有點不捨的心情，決心再次造訪的我，今天只能先行離開。不可置信地，

《橋》，1887／菲利浦．威爾森．斯蒂爾
布面油畫，49.5×65.5cm，英國倫敦泰特不列顛美術館

雨水滴滴答答的陰沉天氣，此刻竟然變得晴空萬里，身體甚至還能感受到陽光熱辣辣的溫度，悶熱不已。陽光如此絢爛，不禁讓人想來份炸魚薯條，搭配一杯冰涼的啤酒，咕嚕咕嚕暢飲一番。我朝著與人相約見面的柯芬園 Rock & Sole Plaice 而去。

各種遇合構築的回憶，正是旅行的魅力

創立於一八七一年的 Rock & Sole Plaice，古典的外觀洋溢懷舊氣息，是倫敦歷史最悠久的炸魚薯條餐廳，曾獲英國《獨立報》和《觀察家報》等媒體選為「美味的炸魚薯條餐廳」。看了看早已客滿的店內，我們在店外找了個位子坐下。不久，服務生端上香氣四溢的炸魚薯條，以及杯外凝滿水珠的冰啤酒。切開剛炸好的熱騰騰炸魚，淋上些許檸檬汁，最後搭配塔塔醬一口塞進嘴裡，簡直是難以言喻的美味啊！此刻，再配上一杯沁涼啤酒，一掃倫敦的燥熱暑氣。

與許久不見的朋友，暢談過去未及分享的故事，望著徐徐西沉的落日，我起身前往倫敦塔橋。白天的塔橋固然美麗，但眼前璀璨的夜景，更是壯麗得令人嘆為觀止。街道上滿是忘卻夜已深沉的人們，見到塔橋上一起欣賞夜景的戀人，我想起了上午才看過的，斯蒂爾的《橋》。

沉醉於浪漫氛圍的我漫步在塔橋上，突然間，某個從遠處走近的人和我四目相對——原來是學姐。同一段時間在同一個國家旅行，還在同一天的同一個時刻走在相同的地點，這樣的偶然很難不讓人驚訝。不知該說

什麼才好，我們只顧著捧腹大笑，然後問問彼此的近況……仔細回想，這樣的情況好像不是第一次了。

某次在韓國，和朋友到新開的 Outlet 逛街，穿好衣服走出試衣間時，我們也恰巧碰見；前往光州參觀雙年展，我們又在某間咖啡館喝完咖啡、走出店門時相遇；最令我印象深刻的一次，是在大學路看話劇時，學姐就坐在我隔壁，當時兩人真的都嚇了一大跳。提及藝文活動，學姐與我固然擁有類似的興趣，不過能和一個人在不同的地方偶遇數次，確實是難能可貴。這一切，或許就是所謂的「緣分」吧？那一瞬間，就像偶然在舊相簿裡發現對方的一張照片般，成為永生難忘的特殊回憶。

旅途上，我曾遇見許許多多的緣分。在陌生的地方偶遇老友，促使我們結伴同行，也成了往後時常相約出遊的契機；背包旅行時，除了認識同宿的朋友，也會碰上熱情招待異鄉人到自己家中做客的在地人。緣分，往往現身於如此偶然的情境，有些固然是轉瞬即逝，但藉由這大大小小的遇合所構築而成的回憶，說不定才是旅行真正的魅力所在。

珍惜短暫的相聚，感激所有的緣分。或許，正是綿延不絕的奇妙緣分，串起了我們的一生。回顧過往，每一段看似「偶然」的緣分，其實正是我人生中奇蹟般的「必然」。

人生，由選擇與責任組合而成

好的選擇，並不是指選擇了正確的選項，
而是儘管選擇了不正確的選項，
自己也不會覺得後悔或羞愧，並能從中獲得些什麼。

拜訪希臘天神的故鄉——克里特島

從雅典比雷尤斯港出發的渡輪，徹夜橫越大海。走上甲板，打算吹吹涼爽海風的我，凝視著遠方港口，直到黃白交錯的燈火漸漸消失在眼前。如同希臘作家尼可斯・卡山札基（Nikos Kazantzakis）所言：「有生之年能造訪愛琴海的旅客，都是有福之人。」此刻我正前往散發著絢爛光采的克里特島（Crete）。

在客廳小睡了一會兒，我在抵達島上最大城伊拉克利翁約莫一小時前，不自覺地睜開雙眼。看著窗外，正打算喝杯濃縮咖啡提振精神時，船隻已經抵達烈陽直射的克里特島。座落於愛琴海南端的這座島嶼，是愛琴海上藝術活動蓬勃發展的文化中心，也是許多神話故事的場景。這裡是希臘神話中至高無上的天神——宙斯的故鄉，祂曾化身為牛，背著愛人歐羅巴逃亡至此；而神話「伊卡洛斯的墜落」（*The Fall of Icarus*）尤其最為膾炙人口。伊卡洛斯無視父親警告，擅自飛向高空後，羽蠟慘遭太陽融噬，最後墜落而死。[1]自古以來，許多畫家皆以此為創作主題，像是夏卡爾的《伊卡洛斯的墜落》和布勒哲爾的《伊卡洛斯墜落風景》等知名作品。此外，這裡不僅是希臘大文豪卡山札基的故鄉，也是其小說著作《希臘左巴》（*Zorba the Greek*）設定的故事場景，並因而聞名。

我隨意挑了輛在港口旁排班的黃色計程車，搭車前往飯店。儘管是一棟得靠手動電梯上下樓的建築，瀰漫古色古香的飯店仍別具風味。隨手放下行李，我隨即前往獅子廣場尋覓早餐。廣場中央的獅子噴泉，正噴湧著沁涼水柱；一大清早，大街小巷滿是朝氣蓬勃的民眾。

我在噴水池旁的露天咖啡座坐下，點了各式各樣的餐點。不久，沙拉首先上桌。在希臘，當地人夏天最愛吃的沙拉又稱為「鄉村沙拉」或「農夫沙拉」，一見到它的模樣，我立刻知曉箇中因由。

像是剛從田裡摘下的新鮮蔬菜、尺寸大得嚇人的番茄和小黃瓜、各式各樣的橄欖與洋蔥絲、以山羊奶發酵製成的菲達起司厚片，撒滿清爽的檸檬汁和香氣濃郁的橄欖油，樸素卻豐盛的一道料理。克里特島是世界聞名的長壽地區，心臟病與癌症發生率尤低，我猜想，這一定和取材自大自然的健康菜單息息相關吧！清新的沙拉、餐前開胃的希臘傳統料理鑲米番茄，再搭配酥脆、熱騰騰的長棍麵包和一杯濃郁咖啡，真是完美的早餐，完美的清晨。

失去方向的同時，也有了隨心所欲的自由

填飽肚子後，逛了逛可愛的商店幫助消化，遠處的蔚藍海岸吸引了我的目光。那一片接近藏青色的海洋散發出濃郁的藍，輝映著陽光，耀眼奪目，甚至讓我不由自主發出了驚嘆聲。映入眼簾的還有佇立海上的「威尼斯碉堡」，這座為了抵擋奧斯曼帝國侵略而建造的碉堡，曾毀於十四世紀的地震，之後於十六世紀修復為現今樣貌。

我以全身迎著愛琴海的海風，沿著以威尼斯碉堡為起點的防波堤漫步，猛烈的風勢卻強勁到讓人無法繼續前行。被強風嚇阻的我暫停散步，出發前往卡山札基的墓園。

卡山札基被安放在威尼斯碉堡城牆圍繞的堡壘庭園，原以為是裝飾華麗的高級墓園，想不到是僅設有木頭十字架與墓碑的簡樸樣貌。墓誌銘寫道：「我一無所求，我一無所懼，我是自由的。」旁邊就是卡山札基第二任妻子葉萊妮．薩美的墳墓。或許，他盼望能在鳥瞰地中海的故鄉，與心愛的妻子一同擁抱永遠的自由。

看過卡山札基，走回飯店的街道異常冷清，後來我才知道當時是「午睡時間」。走在不見人影的路上，我一頭霧水，沒有任何公告、標示，連剛才還滿街跑竄的小貓、小狗可能也在午睡，通通消失得無影無蹤。就在毫無頭緒、彷徨失措時，我在十字路口停下了腳步。當下，我只是個迷路的異鄉人。也許有時候，我們會對失去方向感到莫名恐懼或迷惘，

但在此同時，我們也擁有了隨心所欲前往任何地方的自由。置身陌生環境的我，忽然浮現如此奇妙的感受……

威廉．馬里特．切斯——藉由旅行實現繪畫夢想

不知該何去何從的我，頓時發現了環抱整座克里特島的艷紅陽光，懷舊風韻瀰漫四周。面對溫暖卻空無一人的景象，我彷彿佇立在美國印象派畫家威廉．馬里特．切斯（William Merritt Chase, 1849-1916）所畫的《在布魯克林海軍造船廠》（*In Brooklyn Navy Yard*）之中。

畫中有名女子，獨自漫步在被染紅的街道上。她看著突然出現在眼前的十字路口，左顧右盼地想釐清方向。始終不知該走往何方的女子，猶豫地停下腳步。女子渴望有人能為自己指路的此刻，世界宛如停止轉動般安靜。看來已走了很長一段路的她，神色略顯疲憊，其中還夾雜著不知是否能找到正確道路的擔憂。現在的她，究竟該往哪兒走？

切斯是一位經常旅行的畫家，在旅經法國與西班牙時，他曾與多位印象派畫家交流，也曾在荷蘭投入色調研究。這幅畫創作於他自荷蘭歸來的三年後，藉由其中嫣紅的陽光色調，成功營造街道的浪漫氛圍。隨後切斯再度前往佛羅倫斯與馬德里等地旅遊，畫下許多風景畫，並在美國舉辦個人巡迴展。每一趟旅途，都讓他擷獲更多嶄新的觀點。身為畫家，充實了切斯的人生，他在有生之年足足完成了兩千多幅畫作。旅行，讓切斯領悟到自己真正想做的事，也成為他勇於挑戰夢想的墊腳石。

《在布魯克林海軍造船廠》，1887／威廉．馬里特．切斯
私人收藏

藉由旅行，也讓我有所體悟。一旦生命出現了再怎麼努力都無法圓滿成就的事物時，正是選擇「放下」某些東西的信號。所謂選擇，是決定如何「捨」，而非「得」。甘願承受墜落的伊卡洛斯，選擇了翱翔；擺脫一切枷鎖的卡山札基，選擇了永遠的自由；離開舒適圈的切斯，選擇了藉由旅行完成夢想。相較於擁有「更多」，我們應該選擇的其實是「更想」。如此一來，每當徬徨在數之不盡的十字路口時，這樣的想法便能成為扶持脆弱心靈的勇氣，幫助你我樂於享受選擇。

人生，由選擇與責任組合而成。面臨選擇時，我們總是一再地徘徊與煩惱，能夠毫不猶豫下決定固然最好，只是我們往往無從果斷地擇其一而行。即便所有選擇都存在著好與壞，卻沒有百分百的優勢與劣處，因此也不會有百分百的正確選擇。

好的選擇，並非是選擇了正確的選項，而是儘管選擇了不正確的選項，自己也不會覺得後悔或羞愧，並能從中獲得些什麼。因此，我們真正該學會的，不是選到正確答案，而是勇於承擔隨之而來的責任。

編註：在希臘神話中，伊卡洛斯是雅典知名工匠代達羅斯（Daedalus）之子，代達羅斯曾為克里特島的國王米諾斯（Minos）建造一座迷宮監獄，後來他因故惹怒米諾斯，導致父子兩人也被關進迷宮。代達羅斯於是用羽毛和蠟造了兩對翅膀，準備和兒子一起逃離，結果伊卡洛斯卻因飛得太高，雙翼遭太陽融噬，而墜落水中喪生。

堅實的智慧，是後天鍛鍊的技能

正如一句荷蘭俗諺所言：
「颱風來襲時，有人選擇堆疊磚頭，有人選擇建造風車。」
沒有不見危機的人生，重要的是，面對危機的智慧。

無與倫比的風車景致，是上帝贈予荷蘭的賀禮

人總是容易被舒適所束縛，任誰都想躲在舒適圈裡，過著安穩的日子。當我們意識到自己不再安穩時，便會選擇離開，上演一場聰明的掙脫。然而，這般綴滿惰性的日常生活，終將蠶食鯨吞我們追求提升的欲望，漸漸將生命推向無底深淵。

從飛機上眺望窗外時，我猛然想起法國作家馬塞爾．普魯斯特（Marcel Proust）的一番話：「智慧並非從外接收，而是在誰也無法代為經歷的旅途中，自己發掘。」

一大清早，我便出發前往距離阿姆斯特丹十三公里處的風車村——贊斯堡（Zaanse Schans）。眼前是一座寂靜到讓人不忍打擾的村莊，走進村

口，可可工廠的香甜氣味隨即竄進鼻息。藍天暖陽下，排列著建於十七世紀的綠色木屋。經過打理整潔的庭院時，最先走進視線範圍的是雞。頭頂紅色雞冠的放養雞，正吃著飼料，自由自在地走來走去；身形嬌小的鴨寶寶穿梭在人群中，天鵝悠哉地徜徉贊河（Zaan River）。處處是散發清新香氣的草地，遍地鑲著盛放的花朵；水仙花綻滿堤岸，四下瀰漫著紫色風信子的清甜氣味，讓人不禁有種走進小型植物園的感覺。

後方的大風車，以身體迎風，安安靜靜地轉動著。即便數量比以前少很多，留下來的風車卻被保存得很好。以風車為背景的翠綠草地上，可見遊戲嬉鬧的牛隻，讓我想起了荷蘭畫家亨德里克．維森布魯赫（Hendrik Johannes Weissenbruch）所畫的《斯希丹附近的風車景致》（*Landscape with Windmill near Schiedam*）。

風車，向來是許多畫家愛好的主題，例如荷蘭的代表畫家林布蘭．范．萊因（Rembrandt van Rijn）曾壯麗描繪出《風車》（*The Windmill*）、《原野上的風車》（*Vue panoramique d'une plaine avec un moulin à vent*）；出生於荷蘭的天才畫家梵谷，也畫下了許多風車景致。熱愛荷蘭的莫內，曾經造訪此處三次之多，他甚至在寄給朋友的信中盛讚：「這裡裝著一幅太美麗的畫，我手中的色彩，根本無以呈現。」他以《鬱金香花田與萊茵堡風車》（*Fields of Tulip with The Rijnsburg Windmill*）描繪荷蘭西部薩森海姆（Sassenheim）的鬱金香花田景色，至今仍是深受喜愛的世界名畫。

過去，荷蘭的大部分土地都低於海平面，因此飽受洪水與海嘯所苦，再加上經常下雨，氾濫成災的慘況根本是司空見慣。後來，填海造陸、堆建堤防的荷蘭人為使海平面的高度維持固定，而建造了風車。利用偏西風吹拂轉動的風車，起初產出的動力僅能舀水，後來則被廣泛利用在磨坊、鐵工廠、起司工廠等各種家庭手工業與工業。從荷蘭人成功戰勝自然、又不破壞其生態的行事方法，不難看出他們的超凡智慧。一如「上帝創造世界，荷蘭人創造荷蘭」這句話所言，荷蘭無與倫比的景色，就像是他們傾盡難以數計的歲月戰勝水患後，上帝所贈予的賀禮。

愛德華·馬內——以旅行為師，在自學中探索蛻變

荷蘭人十分喜歡騎單車，走到哪裡都能見到單車的專用車道。不知是否因製造嚴謹、品質優良，荷蘭的單車產業深獲肯定，也更加促進了當地的單車文化，處處可見騎車出遊的家庭、以及享受單車約會的情侶。

我看著他們悠閒的模樣，歇腳小憩片刻。轉眼間，一滴、兩滴的雨珠滴落到了肩上……排山倒海而來的暗灰，瞬間襲捲上一刻仍蔚藍清澈的天空。風勢漸強，大雨驟降。沒帶傘出門的我，只能乖乖淋雨，然而這如同颱風般的強風豪雨，即便有傘，恐怕也無力招架了……眼前景象，恰似馬內的畫作《燕子》（*Swallows*）。

這幅畫是被譽為「印象派之父」的愛德華·馬內（Édouard Manet, 1832-1883）描繪颱風景象的作品，巧妙運用了Swallow 一字分別代表「吞食」與「燕子」的雙重意涵。西方人認為燕子高飛表示天晴，低飛則會下

雨，邊叫邊低飛則意指會有暴風雨，因此鳴叫的飛燕恰似在通知大家，暴風雨即將來襲的消息。

烏雲籠罩整片天空，不知是否感知到天氣驟變，牛隻看起來有些驚慌失措。兩名女子在狂風之中無從控制身體，一個踉蹌跌坐在草地上，從她們頭上快被吹走的帽子，即可感受狂風不容小覷的強度。此時此刻，最興奮的角色，當屬風車了。風車的葉片像是引頸企盼了許久般，飛速轉動著，毫不停歇地轉了又轉、轉了又轉。

馬內僅僅畫出了自己眼中看到的景象，而非當時所見的一切。這幅畫大膽省略了物體形態與光影對比，改為運用多樣色彩的筆法，後來隨著時間推移，這也成了印象主義的特徵。為了有效以陰影強調光線，馬內使用了大量的黑色，一如畫中兩名女子分別穿著黑衣與白衣的強烈對比，成功營造具衝擊力的視覺效果；藉著毫不猶豫的果斷筆觸，正式替光明向黑暗宣戰。眼前伸出手就能觸及的烏雲，栩栩如生地引領強颱襲捲而來。以敏銳筆法巧妙捕捉颱風景象的瞬間，馬內不愧為印象派大師。

對馬內而言，旅行就是他的老師。他生於上流社會的富裕家庭，卻逕自選擇了波西米亞的生活方式。馬內的父親曾擔任法官，一直希望兒子能像自己一樣鑽研法學，可是馬內卻從未放棄成為畫家。儘管父親一再反對，馬內仍選擇在十七歲時成為見習船員，跟著航海同伴前往南美洲；報考海軍學校落榜後，便改以畫家身分跨足畫壇。

《燕子》，1873／愛德華．馬內
布面油畫，瑞士布爾勒收藏展覽館（Foundation E.G. Bührle Collection）

馬內起初在托馬・庫圖爾（Thomas Couture）的工作室學畫，後來因抗拒這位學術派的法國歷史畫家，於是選擇獨自研究繪畫。崇拜義大利畫家提香、喬久內（Giorgione）和西班牙畫家迪亞哥・維拉斯奎茲（Diego Velázquez）的馬內，在羅浮宮裡埋首鑽研他們的畫作，並透過旅行解答研究過程中遇到的疑問。遊遍德國、比利時、義大利等歐洲各國的他，在臨摹大師鉅作的同時，也創造眾多屬於自己的傑作，其中尤以一八七二年在荷蘭旅行時，深受荷蘭畫家佛蘭斯・哈爾斯（Frans Hals）影響。《燕子》便是這段旅途的產物，創作於荷蘭之行歸來後的隔年。旅行蛻變了馬內的畫作，讓他擺脫熟悉的枷鎖，勇於探索陌生的事物。

智慧不會隨年歲增長，而是要積極陶養

生命中的危機，往往發生得突然。面對意料之外的劇變，我們免不了慌張恐懼、不知所措……偶爾浮現「時間一久，總會迎刃而解」的念頭，殊不知這只是誤信自己隨著年紀增長，也會多長些智慧的幻想罷了。智慧，不會隨時間遞嬗自然而生，而是靠堅持不輟的努力鍛鍊，才得以養成的後天技能。如同過去荷蘭人憑藉卓越的智慧戰勝生存危機，面對人生中的危機，我們同樣需要發揮積極的態度加以因應。

唯有智慧，才能終結危機。堅實的智慧，讓一切危機無處施展，讓掀起內心驚濤駭浪的人生伏兵再也無法造成威脅。正如荷蘭俗諺所言：「颱風來襲時，有人選擇堆疊磚頭，有人選擇建造風車。」沒有不見危機的人生，重要的是，面對危機的智慧。

真正啟程了，才能找到離開的原因

所謂人生，其實就是我們走向自己的一趟旅程。
無論願不願意，我們早已搭上這輛名為「人生」的長途火車，
動身啟程了，才能找到離開的原因，這才是一趟真正屬於自己的人生。

列車上的女子，背負著什麼樣的過去？

霧氣格外濃厚的夜晚，我佇立於火車月台，猛然憶起某人的臉龐……伴隨發車前的長長汽笛聲，火車開始疾駛。我坐在前往羅馬的夜車上，火車不斷往前狂奔，是因為天氣嗎？車輪拚了命轉動的轟隆轟隆聲，聽來令人擔憂甚於興奮。

陰涼的風，滲進微微開啟的窗戶縫隙，濃霧籠罩全境，彷彿掌握著世界上所有的秘密。夜幕尚未全然降臨，仍能在霧間瞥見絲絲緋紅餘暉。火車以飛快的速度掠過灰色建築，隱約透著微光的窗外景色，顯得有些蕭瑟。這樣的夜晚，讓我不知為何地想起愛德華・霍普（Edward Hopper, 1882-1967）的《二九三號列車C 廂》（*Compartment C, Car 293*）。

一名女子獨坐在寬敞的兩人座，壓低的帽沿陰影裡，藏著不知該何去何從的空洞神情，顯得孤寂不已。以紅唇點綴的妝容、幹練的裝扮，加上幾乎沒有行李，不難推測這是趟未經計畫的旅行，而她是一名匆忙出發前往某地的都會女性。女子手中拿著一本書，全神貫注地閱讀。她根本聽不見火車上的廣播內容或其他乘客的交談聲，只顧著與自己對話。經歷再多是是非非，也能將它們原封不動地收在心底，靜靜徜徉書海。此刻，只有書能撫慰女子的心靈。

霍普以冷漠、木然的樣態，藉由漠視窗外美景與搭乘火車的興奮情緒，全心沉陷於自己世界的女子，一針見血地描繪現代人孤獨的內心。畫中女子的孤獨，已到了不足為旁人妄自揣測的地步，可謂是極度的孤獨。孤獨，難以言喻，因此選擇沉默，而我們只能猜測其沉默的原因。她獨自旅行的理由為何？她的表情只是一時倦怠嗎？抑或是全然懷疑人生的意義？漫溢孤獨感的火車，發散出疏離感強烈的與世隔絕氛圍。無力與外界溝通的內心脆弱至極，默默藏起深不見底的悲傷。孤獨時分，沉默是唯一的倖存者。

火車，是揣想每個人故事的最佳場所

霍普的畫作不見抽象的物體形態，一筆一畫寫實而清晰，找不到任何模糊之處。然而，畫中蘊含的情緒卻相當渾沌、含糊不清。不得而知的失落感、疏離感，沒來由的空虛、慨嘆，主導了整幅作品。沉寂籠罩整列火車，處處流瀉浮躁的氣息。離開城市的女子，顯露的僅是紊亂情感的

《二九三號列車C廂》，1938／愛德華．霍普
布面油畫，45×50cm，美國阿蒙克市IBM公司

冰山一角，難以憑隻字片語定義她的情緒。霍普筆下再平凡不過的火車景象，卻吸引我們凝望許久，那麼熟悉，卻也那麼陌生……

我突然有點好奇，在眾多交通工具中，霍普為何選擇了火車？他畫過許多以火車為背景的作品，例如描繪車內景象的《特等客車》（*Chair Car*）和《火車之夜》（*Night on the El Train*），從車廂內看車外景色的《鐵道旁的房屋》（*House by the Railroad*）和《靠近城市》（*Approaching a City*），都是代表性的同類作品。對霍普而言，火車是揣想每個人故事的最佳場所，藉此引導出一場與自己的深層對話，以阻隔車外雜音的晃動火車，比擬人類與外界隔絕的混亂內心。

火車，是離開與歸來的交界點，是歷經無數相聚和離別的場所，也是送別過去、迎接未來的空間。《二九三號列車C廂》裡的女子，同樣離開了某地，正前往另一處。霍普藉由火車告訴我們：人生，就是旅行。

火車究竟疾馳了多久呢？不知不覺間，夜幕早已全然垂墜。黑暗的夜，更襯托了內心的黯然。霍普畫中的她，翻了翻包包，拿出一本書：瑞士作家帕斯卡．梅西耶（Pascal Mercier）的小說《里斯本夜車》（*Nachtzug nach Lissabon*）。故事的開端，對一成不變的日常深感厭倦的戈列格里斯，在暴雨傾盆的某夜，拯救了一名身陷險境的女子。就此被一股強大的莫名力量牽引的他，戰戰兢兢搭上了前往里斯本的夜車。戈列格里斯之所以會踏上這趟陌生旅程，全因一本舊書中的一段文字：「如果我們只能依賴內心的一小部分生活，剩餘的該如何處置？」

忽然間，戈列格里斯的行跡闖進了這本舊書的後半部情節。然而，我最好奇的，不是戈列格里斯被什麼樣的內容吸引、或消失的女子究竟去了哪裡，而是那一天他不得不突然離開的理由。一直到現在，我好像才稍微弄懂了——小說中提及，戈列格里斯反覆閱讀著葡萄牙作家普拉多的著作，對他而言，「這本書就像是開啟其他文章的鑰匙」。

搭上各自的車次，奔向嶄新的人生

「存在於我體內的我，就像移動中的火車。我並非自願搭上火車，而是別無選擇，甚至連目的地為何都一無所知……希望火車不要停，永遠不要停，千萬不要……」霍普企圖藉由自己的畫作如此陳述，恰如戈列格里斯透過旅行得到領悟一樣——所謂人生，其實就是我們走向自己的一趟旅程。無論願不願意，我們早已搭上這輛名為「人生」的長途火車，有時候甚至不清楚目的地，只顧著不停往前疾駛。無論是霍普畫中的女子、或是突然拋棄安穩生活的戈列格里斯，真正啟程了，才能找到離開的原因，這才是一趟真正屬於自己的人生。

了解他們離開的理由，我才明白自己遠行的原因。或許，只有在察覺別人內心的某種想法時，才會發現自己也有同感。我們對自己一無所知的程度，往往得透過別人，才能看清自己，進而問一問自己：「我現在搭著什麼樣的火車？正要前往何方？」

徹夜狂奔後的破曉時分，一縷陽光衝破濃霧，映在我的身上。轉眼間，晨曦漸明。沒過多久，耳邊傳來嘎——地煞車聲響，火車緩緩停止，抵達終站。我站在刺眼陽光直射的月台上環顧四周，眼前是一座規模氣派的懷舊車站。

儘管處處沾附著歲月的痕跡，這個車站至今仍一如往昔地堅固，來來往往的人潮也從未間斷。隔著車窗縫隙依依不捨道別的戀人、背包比人大的背包客、三三兩兩聚在一起吃零食的孩子們、手握公文袋穿著俐落套裝的上班族、邊閱讀邊候車的年輕女子……形形色色的人們，都有各自搭火車的原因。擁有不同理由、不同人生、不同目標的人們，準備創造嶄新的故事。

火車站總是瀰漫著一股分外輕盈的空氣，有人呼喊朝思暮想的名字，有人整裝迎接璀璨未來；就連看來略顯寂寞的獨行，也隱約閃現細微的興奮。為了追尋全新熱情而離開的人，滿懷期待；即便是滿心疑問、尚未底定方向的人，看起來仍抱有一絲希望。布滿漂泊腳印的景象，居然美得如此令人驚艷。不久後，大家紛紛按照站務人員的指示，搭上一班班列車，車輪開始慢慢轉動。

看著準備離站的火車，我將昨晚數之不盡的疑問，一股腦兒拋到車上。見過大風大浪的城市——羅馬，是否知道答案呢？人們總說條條大路通羅馬，而我正走在屬於自己的大道上，通往哪裡，並不重要。

人生

無論如何，日子仍在繼續向前

或許，人生就是在一幅極大的畫布上作畫。這段時而艱辛、時而厭倦的過程，既然不可能與過去完全相同，既然總會產生些許變化，不妨繼續勇往直前吧！

默默耕耘，
終將迎向美好綻放

沒有突然盛開的花，唯有盛開的花突然被發現。
如同凜冽大地竄出的幼苗，必須悉心照料，才能開出鮮花；
唯有無盡熱情與鍥而不捨的努力，才能栽出希望，迎向美好的綻放。

普羅旺斯的寧靜美好，讓眾多畫家流連忘返

某些回憶，是以氣味的形式被記住。氣味勾起潛意識中的完整記憶，有時候甚至比回顧照片更栩栩如生。隱約飄散的清甜可可香，讓人重返童年；滲透舊畫具袋的顏料味，讓人憶起學生時期；聞到擦肩而過的陌生人香水味，猛然想起舊情人；剛剛曬完太陽的衣物，陣陣柔和、乾淨的氣味，讓人記起媽媽溫暖的懷抱。清新中帶點土腥味的晨雨，將我們帶回陌生旅程的那時、那地、那段過往，一塊塊被氣味喚醒的記憶碎片。

每當走在花香四溢的春天街頭，總讓我想起那一片被染成雪青色的海洋——南法普羅旺斯的薰衣草田。自古以來，這裡便被稱為是「畫家的陽台」，吸引梵谷、畢卡索、夏卡爾、馬諦斯、雷諾瓦、塞尚等舉世聞名的畫家流連忘返。

雷諾瓦曾在蔚藍海岸作畫；一九六六年前往聖保羅旅行的夏卡爾，深深為當地美景所著迷，就此定居了二十多年；梵谷待在聖雷米時，完成了《鳶尾花》（*Irises*）、《麥田裡的絲柏樹》（*Wheat Field with Cypresses*）、《星夜》（*The Starry Night*）等超過百幅畫作；塞尚為了描繪《聖維克多山》（*Mont Sainte-Victoire*），在艾克斯住了數百日，直到離世前，他仍在普羅旺斯的薰衣草田裡作畫。

如果無法現在馬上前往南法，不妨找個類似的替代方案吧！今天去了趟坡州的普羅旺斯村，聚集出版園區與Heyri藝術村等地的坡州，總讓我有各式各樣的理由前往造訪。

每次踏進這裡完整呈現普羅旺斯風情的聚落，總令人倍感平靜、溫暖；漫步其中，真的會覺得自己正置身法國。一走進入口，迎面而來的彩色蠟筆建築，馬上讓心情變得明快許多，搭配繽紛的木頭長椅，簡直是一場視覺饗宴。以溫室為主題的玻璃屋庭園，傳來陣陣撲鼻清香；蓮池裡的錦鯉，悠閒地在睡蓮周圍嬉遊。找間小咖啡館坐下，聽著滴滴答答的雨聲，享受一杯洋溢花香的花草茶，我想，神仙的生活也不過如此。

有沒有一種香味，能夠清除心中煩悶

喝完茶，逛了逛充滿普羅旺斯特色的手工藝品，忽然有股不知從何處飄來的清幽花香，引領我移動腳步前往。眼前有一整排販售小型盆栽與香草的精緻花店，各式專賣香草、精油、入浴劑等香氛商品的店家緊鄰而立。我搓揉著鼻子，到處試聞，最後買了一個薰衣草擴香瓶；擴香商品的旁邊，還有一些乾燥百香花。

各種香氣四溢的乾燥花中，散發鮮艷紫色光芒的乾燥薰衣草率先吸引了我的目光。濃而不俗的顏色，醇而不刺鼻的香氣，讓薰衣草被譽為「普羅旺斯的太陽」，是深受喜愛的普羅旺斯之花。花開花落，看盡世事，終而化作一絲絲繚繞心頭的香氣……

「百香花」Pot Pourri之名源自「發酵瓶罐」一詞，意指「香包」，在混合了花瓣、樹葉、果皮等材料熟成後，透過散發出來的味道淨化室內空氣，維持長時間的清雅香氣。古埃及國王的墓室中曾被發現有百香花的痕跡，可見人類使用百香花已有相當悠長的歷史。尤其在十七至十八世紀間，百香花極受歐洲貴族喜愛，也因此成為眾多繪畫的主題。

英國畫家米雷以《百香花》描繪母親與兒子一起撕花瓣的溫馨畫面；喬治・鄧洛普・萊斯里（George Dunlop Leslie）的《百香花》中，可見兩名女子悠哉地搗碎花瓣。美國畫家愛德溫・奧斯汀・艾比（Edwin Austin Abbey）則以《百香花》呈現女子們樂在製作百香花的情景。而我最喜歡的作品，是英國新古典主義畫家赫伯特・詹姆斯・德瑞珀（Herbert James Draper, 1864-1920）的《百香花》，畫中描繪一名女子製作百香花的模樣，是一幅悲傷與美麗共存的作品。

桌上堆著許多玫瑰，各色花瓣四處散落，濃郁的香氣溢滿整個房間。手上捻著一朵玫瑰，正將花瓣剝進盆中的女子，姿態既官能又綽約、既悲傷又優雅。雖然主導整幅構圖的隱約粉紅光線，甜美且充滿情感，女子的神情卻不知為何地黯淡、苦澀，惆悵的眼神裡滿是懊悔與傷痛……或許在她一片、一片撕下花瓣的同時，也正在騰空自己紊亂的內心情緒。

若能有像淨化室內空氣的百香花一樣淨化人心的芳香劑，那該有多好？此刻，比起淨化室內空氣，清理女子鬱悶的心情，似乎才是當務之急。

赫伯特．詹姆斯．德瑞珀——縝密準備，只為淬鍊完美

德瑞珀的創作過程相當辛苦，首先要進行非常縝密的事前準備。為了細膩呈現想要描繪的畫面，德瑞珀會先做長時間的觀察，然後在正式作畫前，畫過無數次草稿與素描。就像繪製圖樣或表格一般，先在畫好相同間隔的線條上，畫出完美構圖與精確的人體比例，從德瑞珀留下來的速寫稿中，不難發現他對作品的求好心切。此外，擇善固執的他，始終堅守自己獨有的風格，拒絕譁眾取寵或順應流行。精細、寫實、幾近完美的德瑞珀作品，正是歷經諸多艱辛才淬鍊而成的結晶。

德瑞珀憑藉《大海少女》（*The Sea Maiden*）功成名就後，再以《哀悼伊卡洛斯》（*The Lament for Icarus*）在巴黎世界博覽會中一舉奪下金牌獎，躍身為世界注目的焦點。然而，由於過分執著古典主義畫風與學院派技法，加以彼時正值現代藝術興起，德瑞珀的繪畫慘遭抨擊為不符時代潮流的落伍作品，他也因而漸被世人遺忘。

《百香花》，1897／赫伯特．詹姆斯．德瑞珀
布面油畫，51×68.5cm，英國倫敦泰特不列顛美術館

時至今日，德瑞珀的價值才再度受到重視。他的畫不僅重新出現在拍賣會場，二〇〇〇年代前期，收錄德瑞珀全數畫作的「作品集」（catalogue raisonné）也出版問世。作品集中則以這段文字，賦予他極高的評價：「赫伯特·德瑞珀是維多利亞晚期最能夠畫出優美裸體畫的畫家之一，在開啟嶄新時代的此刻，我們必須重新定義被舊時代藝術家的偏見與自以為是徹底貶低的德瑞珀。」

德瑞珀的畫，飄散著專屬德瑞珀的氣味，一股任誰也模仿、追隨不了的獨有香氣。他默默靠著自己的力量，創作出即便經過漫長歲月洗禮，仍保有襲人清香的作品；恰似你我終日擦身而過，卻總也不知其名的野花，所特有的清秀。如同在凜冽大地費盡千辛萬苦才竄出的幼苗，必須悉心替它澆水、擋風遮雨、佐以日照，才能盛開出鮮花；德瑞珀對藝術的無盡熱情與鍥而不捨的努力，終究讓他的畫作，迎向遲來的綻放。

沒有突然盛開的花，唯有盛開的花突然被發現。日夜渴盼，終於栽出希望的德瑞珀，他的熱情與毅力，著實令人動容。

夢我所畫、畫我所夢，隨心所欲而活

人終究會選擇做自己想做的事、
認識自己想認識的人、愛自己不由得想去愛的一切……
在「心」的面前，我們永遠如此渺小，而這也是得到快樂的唯一途徑。

葬送熱情，是那麼令人無奈與痛心

我的過去，滿是作畫的回憶。繪畫是我生命中不可或缺的一頁、是我唯一的夢想，更是我無法割捨的命中注定。就像英國畫家鄧肯．格蘭特（Duncan Grant）的《室內》（*Interior*）這幅畫中，把水果擺在餐桌上練習描繪靜物的女人，萬事萬物都能成為我的素材；就像安德斯．佐恩的《舒華茲姐妹》（*The Sisters Schwartz*）中，在陽光普照的畫室繪製石膏像的少女們，每到週末，我便和朋友一起待在畫室作畫，共度歡樂時光。不分地點、領域，參加過許多美術比賽的我，也像是莫內在《吉維尼的森林中》（*In the Woods at Giverny*）所描繪的模樣。

那時，鉛筆是我最好的朋友，畫筆是譜寫熱情的媒介，沉甸甸的畫筒是穩如泰山的盟軍……那是一段夢我所畫、畫我所夢的日子……

雖然作畫是件幸福、快樂的事，卻也曾讓我經歷刻骨銘心的觸動……那是一個週末清晨。跟平常一樣，率先到達畫室的我，打開畫架，開始作畫。正準備著手上色之際，某種難以形容的情緒忽然一湧而上，紅了我的眼眶……那是一種很奇怪的感覺。從某個瞬間起，突然變成是畫在畫我，而非我在畫畫，就像我直接走進了畫紙中；只要闔上眼、吐口氣，就此消失於世間，也無所謂。我體驗到了從未有過的怦然、驚訝，強烈體會到某種嶄新的情感由此產生。

我體驗到了有生以來第一次萌發的陌生情緒。我明白，即使厄運連連、發生任何打亂生活節奏的事，讓我無法繼續作畫，我也會想盡辦法緊握畫筆，絕不放下……

時光荏苒，眨眼間放下畫筆已長達十年。對於追逐夢想，我有心無力，越是抓緊畫筆，生活越是頹廢。癡心以為單憑著熱情就能一直畫下去，到頭來才驚覺這只是自以為是的貪求。邊畫畫邊過日子，和靠畫畫過日子，是截然不同的兩回事；追求夢想，以及放下夢想，顯然都不是件容易的事。是我親手埋葬了夢想，只能頻頻對著冰冷死去的它感到抱歉。一念之間的抉擇，擊潰我的人生；越想忘記那一次次的偽善，越是無從擺脫。濃郁的眷戀，滲透身軀；赤裸裸的自卑感，不時啃噬心靈，讓我隱隱作痛。

曾經珍而重之的夢想被悄悄拋棄的那天，如今想起仍讓我痛心疾首……反覆質問自己的那些問題，現在去了哪裡？那時熱得發燙的空氣，如今又飄往何處？失去動力的夢想，成了褪色的回憶；那段熾烈的日子，葬身光陰之中。

《畫室》——以畫筆揮灑夢想的醉人瞬間

愛爾蘭畫家約翰・雷威利（John Lavery, 1856-1941）有一幅名為《畫室》（*In the Studio*）的作品，這幅畫帶我重返了遙遠的過去，再次經歷那段熱情如火的時期。房間正中央，有一名正在作畫的女子。她右手握著畫筆，左手拿著調色板，仔細凝視畫架上的畫布，思索著眼前這幅畫是否需要再做修飾？是否有不夠完善的部分？謹慎地反覆端詳。

此時，女子心中掠過一道耀眼的閃電，彷彿集聚了所有光芒般，璀璨無比。有生以來，她首次體驗如此醉人的瞬間，心臟亢奮得撲通撲通跳個不停，即使不是親眼所見，也能讓人感受到那份激動難捺的心情。

這幅畫呈現的色彩效果固然美麗，就構圖層面來說，更是極為傑出的作品，尤以空間深度的表現方式，格外搶眼。威利善用家中隨處可見的物件，做為呈現空間感的關鍵要素。掛在牆上的畫框、扇子，以及木頭畫架的層疊放置，皆細膩地創造出空間的深度，並且利用各自的尺寸與位置，來表現空間的變化。近處的物件，大而清晰；遠處的物件，小而模糊，藉此突顯遠近距離。假若關上女子身後的門，改以牆壁阻擋空間，將會即刻產生壓迫感，覺得狹窄窒礙；因此，畫家果斷地選擇了擴大背景，營造開闊空間與立體感的構圖。

《畫室》，1890／約翰．雷威利
布面油畫，54×38.5cm
英國蘇格蘭麥克林博物館暨美術館（McLean Museum and Art Gallery）

雷威利擅以俐落筆觸描繪上流社會女子的日常樣貌，在這幅畫裡，同樣可從女人華麗的裝扮和高級的室內裝潢，看出她來自上流階層。對雷威利而言，他最重視的創作素材是「繪畫與女人」，例如瀰漫優雅氣息的《畫室訪客》（*A Visitor in the Studio*），細膩刻劃身穿黑禮服閱讀畫集的女子；在《約翰・雷威利畫室裡的女士們》（*Ladies in Sir John Lavery's Studio*）中，亦可見到兩名女子在畫室裡相處的泰然景象。一九〇四年的一趟創作之旅，讓雷威利遇見命中注定的第二任妻子海瑟，兩人於一九〇九年結婚，雷威利隨即在隔年畫下了《寫生中的雷威利夫人》（*Mrs Lavery Sketching*）。或許，從事創作的畫家們，都是透過描繪在畫布上的圖畫，反映自己的真實人生吧？

選擇「想做」的事，而非「該做」的事

人生在世，或許也像在一面巨幅畫布上作畫。繫上工作圍裙，削一削鈍掉的鉛筆，理清思路後，攤開淨白的畫紙；打上草圖，再用橡皮擦稍做修飾，底圖即宣告完成。按照這份底圖，時而果敢增減明暗，時而慎重添附色彩，一筆一畫，層層疊疊。即使這段過程偶爾令人感到疲憊、生厭，卻不可能與過去完全相同，總會出現些許變化，促使我們有動力繼續向前。

懷抱喜悅的心，默默地、堅定地面對一切，不知不覺間，我們完成了這幅畫。即便大功告成的瞬間，是如此短暫；雖然作畫的速度，是那樣緩慢，卻充實地完成了自己的人生。

無論一個人多有耐心、多擅長於某事，也不可能一直忍受著去做自己不喜歡的事。人終究會選擇做自己想做的事、認識自己想認識的人、愛自己不由得想去愛的一切……在「心」的面前，我們永遠如此渺小，而這也是得到快樂的唯一途徑。不過，需要特別留意的是，所謂隨心所欲而活，並非是任意妄為、或者隨便扭曲內心真正的想法。

失去心靈的肉體，永遠不完整；沒有心靈、空有軀體，或是沒有軀體、空有心靈，都極為不幸。其實，只要努力實踐「坐而言，不如起而行」的簡單道理，你我都能變得快樂。讓所想與所做一致，讓心理與生理一同呼吸，一切不可能都將化為可能。

當有人在我的腳底塗了黏膠，讓我無法跨步前進，我便跟隨心之所向而行。在那裡，我看見了還是孩子的我，正在畫畫……那段以世上最快樂的神情作畫的回憶被喚醒了。我終於懂了，如果不想讓夢想只是夢想，唯一的方法是：實踐。想法或決心，不能改變人生；唯有行動，才能改變人生。不付諸行動，一切只是天馬行空、妄想快樂結局的樂觀悲劇。

時隔十年，今天的我重新握起了畫筆。繞了很遠的一段路，我才走到了這裡……我坐下來，緩緩移動著手，慢條斯理地堆疊一筆一畫，解開一道道曾經充斥內心的無解疑惑。選擇自己「想」做的事，而非「該」做的事，儘管會令自己陷入險境，可是相較於沒那麼開心，由衷的快樂才是我們所應追求的人生道路。

沒有一種成功的速度，適合每一個人

成功神話最大的問題，在於將焦點擺在速成、而非有意義的成功。
不要焦急，不要催促或逼迫自己，保持自己的節奏就好。
成功沒有所謂的遲到，有的只是多花一點時間罷了。慢慢來，也無妨。

或快或慢，人生的步調各有不同

這個時代，充斥著成功神話。隨處可見自我啟發的書籍、心靈治療的熱潮、看似頭頭是道的口號……然而，如同美國歷史學家克里斯多夫・拉許（Christopher Lasch）所言：「沒有任何成功，恰如其華麗形象。」被創造出來的成功神話，不過是把大眾的理想具體化罷了。

每個人與生俱來的天賦與專長，各自的際遇、運氣和碰上的機會等，皆有不同，可是千篇一律的成功佳話，卻從未提及隱藏其中的失敗經驗與偶然的幸運，只顧著歪曲並美化事實。相較於血淋淋的真相，我們寧可沉醉在表面上有條有理的成功美談，以滿足自己對遙不可及的飛黃騰達所懷抱的嚮往，甘心跌進香甜誘人的成功陷阱。那些在成功後重新捏造的故事，無疑已成為阻撓其他人的絆腳石。

成功神話最大的問題，在於將焦點擺在速成、而非有意義的成功。找到祕訣、榜樣和捷徑，其實離成功還很遙遠，因為最重要的關鍵是過程，而非依循所謂的公式，在極短的時間內達成目標。儘管必須耗費大量時間，還是得努力照自己的方式，走自己的路。

在藝術的世界裡，有一群人親自證明了做任何事都沒有年齡之分，他們從不因上了年紀就放棄夢想，不因時間緊追在後而畏懼或挫折。他們堅信自己的才能，努力朝著與別人不同的方向前行。

被譽為「現代藝術之父」的亨利．盧梭（Henri Rousseau），當了二十二年的海關收稅員，在四十九歲改行成為畫家。自他步入畫壇，直至離世為止，幾乎每年發表作品，為繪畫傾注畢生熱情。原本以法律為職志的野獸派始祖亨利．馬諦斯（Henri Matisse），在律師事務所工作一段時間後，下定遲來的決心，開始提筆作畫。透光主義（Luminism）的先驅詹姆斯．奧古斯都．蘇伊戴姆（James Augustus Suydam），原本是建築師與律師，在三十七歲時參加美國國家設計學院主辦的展覽，正式成為畫家。印象派畫家保羅．高更也是在三十五歲那年，離開證券交易所的工作，轉而投身畫壇。

有「美國夏卡爾」之稱的哈利．利柏曼（Harry Lieberman），在退休後某天聽從長者俱樂部裡年輕志工的鼓勵，開始繪製有生以來的第一幅畫，而於七十七歲時，以畫家身分展開了第二人生。他傾盡全力作畫，創造了難以數計的作品，更以一百零一歲高齡舉辦第二十一場個展，為此生畫下最美麗的句點。美國民俗畫家摩西奶奶（Grandma Moses）自六十七歲開始作畫，八十歲在紐約的畫廊舉辦首次個展，之後又在歐美各地舉辦展覽，活躍於藝術界，直到她一百零一歲辭世前，共計完成一千六百多幅畫作。摩西奶奶曾說：「七十歲時，我選擇開展嶄新的人生，然後度過了三十年多采多姿的生活。只要有熱情，永遠不會老。」

約翰．阿金森．格林沙——以詩意月景撫慰人心

還有一位大家所熟知，較晚才開始作畫的畫家，是十九世紀的英國畫家約翰．阿金森．格林沙（John Atkinson Grimshaw, 1836-1893）。格林沙雖然從小即擁有過人的繪畫天分，卻因父母反對而未走上藝術一途。格林沙的母親對兒子的畫作尤其不以為然，甚至揚言銷毀他所有的作品……無可奈何的格林沙，有很長一段時間都只能靠著在英國里茲（Leeds）的畫廊欣賞名家作品，來滿足無法畫畫的遺憾。

時光飛逝，格林沙在一八六一年時選擇離開就職的鐵路公司，踏上專職畫家之路。儘管從未受過正式藝術教育，開始畫畫的年紀又比別人晚，種種不利的條件卻促使格林沙加倍用心投入創作。後來，他憑藉著描繪水果、花卉、鳥類等主題，成功創辦展覽並深受大眾喜愛，僅僅十幾年的時間，便擁有購入里茲豪宅的經濟能力。

大約在年過四十時，格林沙開始喜歡上月色輝映的景致。他在畫布上盡情揮灑充滿詩意的想像力，專注描繪月光映照下的英國夜景。格林沙走

遍利物浦、倫敦、切爾西、里茲等地，將當時因工業革命而急速改變的英國樣貌盡收畫中。他所體現的月色溫柔、神秘，足以誘發心底某種微妙的情緒，喚醒沉睡內在許久的朦朧感性，其中尤以《龐提佛雷特附近的斯泰普頓公園》（*Stapleton Park near Pontefract*）這幅畫，勾勒英格蘭西約克郡瀰漫的金黃秋意，最能細膩地呈現月色遍灑的柔美韻味。

彷彿打開照明開關般的暖黃月光，鋪滿整幅畫面。每踏出一步，便能聽見落葉沙沙作響，女子側耳傾聽偶爾掠過的風聲，輕巧地走著、走著。不知不覺，月色漸濃，秋色已深。霎時間，原本急著前行的女子停下了腳步，思索這段無從得知盡頭的夜路，究竟要走多久？擔心隻身走在無人道路上的她會感到孤單，月亮於是映得路途更加明亮，月色傾瀉的暖意，輕撫著女子。一道溫暖的光芒流過心底，女子向月亮盡訴煩惱；月亮撫慰她的孤寂，化身貼心傾聽的摯友。女子赫然充滿了力量，繼續勇往直前。有了月光相伴，再艱辛的夜路，也成了邁向幸福的夢想道路。

格林沙畫過許多與這幅畫構圖類似的月景，例如《海丁利小巷，里茲》（*A Lane In Headingley, Leeds*）勾勒女子凝望燈火通明房屋的樣貌、《月路》（*A Moonlit Lane*）刻劃母女攜手漫步的溫馨景象，都是他典型的月光風景畫。《戀人》（*The Lovers*）這幅畫則呈現月光下情侶彼此相擁的模樣，淒涼而優美。

儘管曾有人抨擊格林沙總是跳脫不了類近主題與大同小異的構圖，他卻始終抱持不予理會的態度，堅定地走在自己的道路上。最後，格林沙終

《龐提佛雷特附近的斯泰普頓公園》，1877／約翰．阿金森．格林沙
板面油畫，43.5×28cm，私人收藏

於畫出了獨一無二的城市月夜，即使在數百年後的今日，仍享有「月光畫家」的美譽，深受世人喜愛。格林沙筆下那令人驚艷的月光美景，或許正是他想贈予的禮物，要送給在各自路途上默默努力的人們……

按照自己的節奏，走自己的路

不是所有人都能坐擁鉅富，也不是所有人都能成為社會名流；不是所有人都能在各自的領域中出類拔萃，也不是所有人都能攀上至高的寶座。然而，無法達成這些目標的人，難道就得宣告人生失敗嗎？當然不是。夢想的實現樣貌互異且多樣，成功的定義並非絕對。

無論是格林沙、或其他不勝枚舉的畫家，他們之所以能成功，皆歸功於用自己的節奏，走自己的路。許多人會失敗，並不是因為能力不足，而是努力不足；有更多的人會失敗，並不是因為努力不足，而是傻乎乎地選擇了千篇一律的努力方式。沒有才華，創作不出意境悠遠的畫；沒有努力，創作不出盡善盡美的畫；創作一幅與別人相同的畫，誰也不會有興趣欣賞。

不要焦急，也不要催促或逼迫自己。沒有一種成功的速度，適合每一個人。這條路，沒有所謂的遲到，有的只是多花一點時間罷了。慢慢來，也無妨。

擺脫完美主義，對自己寬容一些

唯有驅逐對完美的強迫症、以及對不完美的恐懼，
我們才能真正地為自己而活。
不再盲目追求也許根本不存在的完美人生，能讓我們快樂許多。

我們常從挫折中逃避，否定過往的付出

雪花徹夜紛飛，眼前盡是銀白世界。凌晨時分，寂靜縈繞著覆滿白雪的街道。在瑩白的雪路上，我小心邁開步伐，慢慢走著。每踏出一步，便能聽見雪地噼啪作響；每跨出一步，便傳來悔悟與邪念窸窣迴盪。

走著走著，我靜下心回首人生。轉頭注視過去，認真、誠實地回顧……終於，我有了結論：曾以為是浪費時間的一切，其實並非如此。

人生，總要面臨數之不盡的挫折。無論經歷過多少次，滋味永遠那般苦澀。有些事，即便竭盡所能，最終仍落得毫無意義的退敗收場；有些事，即使搏命爭取，結果只換來泡沫幻影般的無盡失望。遭逢無數挫折，自尊被狠狠蹂躪；面對反覆上演的失敗，深感有心無力。

跌落絕望深淵時，我們總自慚形穢，牢牢被挫折感纏繞，認為自己是失敗者的想法，久久無法從腦海中驅逐。如果能將挫折視為東山再起的契機，從中學習成長，當然是好事一樁，我們卻經常選擇就此畏縮逃避，痛苦一生；完全抹滅過去投注的時間所締造的價值，一味自怨自艾，抱持甚為消極的態度。

過度追求完美，只是把自己逼入絕境

朋友之中，有個堪稱無人能及的完美主義者，無時無刻不為自己訂定極高的標準，苛求自己達成過分的完美，一心將人生雕塑成無瑕的傑作。她精準地計算一切，隨時把所有事物掌握在規畫之中，絕不允許絲毫瑕疵。只要稍有差池，她便立刻變得悶悶不樂；只要發生任何錯誤，她便陷入無止盡的反思，久久無法忘卻，始終沮喪鬱悶、怨天尤人。即便已經表現出色，她仍因不夠完美而認為一切毫無意義，只顧著貶抑成果，親手將自己推落挫敗的深淵。萬一事情沒能完美落幕，她甚至會嫌棄自己是個沒用的傢伙。相較於渴盼成功，她更像是恐懼失敗。

不知道是否因為總強迫自己要比其他人優秀，這位朋友時時都在和別人比較，完全無法容忍自己更為遜色，過度迎合他人的期待與要求，而耗盡自己的時間與能量。平常表現得高尚、寬容的她，一旦被他人不經意地否定時，立刻變得非常神經質；她會想方設法去報復暴露自己弱點的人，藉以證明自己的優越或完美。

後來我才知道，她接近病態的處世風格，起因於一段往事。自小被父母拋棄的她，輾轉寄居於四散各地的親戚家，不穩定的成長環境，使她遭受苦難與羞辱，其中不乏有人刻薄地鄙視她、欺侮她。稚嫩的孩子，置身於如此艱辛的逆境，日日夜夜被淹沒在求助無門的悲痛與不安的恐懼中。缺乏關愛與重度的被害意識，轉化為渴求被認同的欲望，使她萌生了「就是不夠完美才被拋棄」、「只要不完美就得不到愛」的觀念，一步步將自己形塑成完美主義者。

這並不只是她的故事。即便當中存在著些微差異，但你我何嘗不是為了追求完美而活。置身於無盡擴張的競爭生態，強迫自己時刻保持完美；為了得到別人的認同與愛，把自己逼進力求完美的死胡同。時而替自己設下難以實現的目標，不擇手段只為達成目的；萬一失敗了，便完全抹殺自己的價值。一味崇尚成王敗寇的觀念所產生的副作用，已荼毒得這個社會病入膏肓。

《迎向天空》——耀眼的自信，撼動人心

其實，就算在別人眼中不夠完美，每件事還是存在著不可抹滅的價值。美國印象派畫家羅伯特・路易斯・里德（Robert Lewis Reid, 1862-1929）的《迎向天空》（*Against the Sky*），就讓我想起自己開朗快樂的那段時期。

畫中攀上山丘的少女，將一望無際的世界盡收眼底。白雲飄盪在蔚藍的天空，一絲清爽的涼風襲來，冷卻了少女額頭上的汗珠。做個深長的呼

《迎向天空》，1911／羅伯特．路易斯．里德
布面油畫，82×66cm，美國楊百翰大學美術館（Brigham Young University Museum of Art）

吸，胸內滿是新鮮空氣。少女單手插腰，露出一抹淺笑俯瞰地平線的神情，無比真摯而昂然。她抬頭挺胸地凝視遠方，彷彿在宣告自己終有一天，會征服這片遼闊的世界。耀眼的自信，撼動人心；藏匿於朦朧氛圍裡的澄澈，無形地誘引我們深陷畫中。

里德是個擁有熾熱人生的畫家，對於與藝術相關的一切，他都顯得格外狂熱。就讀波士頓藝術學院時，他創辦了《藝術學子》（*Art Students*）雜誌；身為總編輯的里德以不遜於專業評論水準的報導，批判波士頓美術館的展品，令讀者大為驚艷。後來，他前往巴黎留學，不僅獲得沙龍展的參展資格，刊登於展覽目錄上的作品也引起高度關注。

返美之後，里德專注於創作飯店與展覽的裝飾壁畫，卓越的技藝讓他橫掃各大獎項，從此享譽藝術界。接著他又將創作重心聚焦於描繪女子樣貌，「絢麗的印象派」畫風深受喜愛，他的許多作品皆是誕生於這個時期。

在此之後，里德舉辦了首次個展，與自己所打造的「十人畫會」共同活躍於畫壇；他一手創辦了科羅拉多州的布洛德莫藝術學院，並且親自授課。晚年時，因小兒麻痺而無法使用右手的他，選擇改以左手作畫，繼續藉由各式作品打造自己的藝術世界。離世那一年，里德仍在護士攙扶下出席展覽；儘管健康狀況急速惡化，也從未澆熄他對藝術的熱情。他對藝術傾盡了一切，直到永遠闔上雙眼的那一刻⋯⋯

熱情的運用方式，將左右人生的素質

熱情，是人生最重要的元素。然而，熱情的運用方式，終將左右人生的素質。一旦做出選擇，要成為「事事盡求完美的人」、或是「事事傾注熱情的人」，生命的每一個剎那也會從此產生截然不同的體悟。

有時候，我們需要對自己寬容一點。樂於接納自己的缺點，放下追求完美的執著；不要過度嫌棄自己，接受失敗也是人生必經的過程，才是真正可取的價值觀。擺脫完美主義，自在地活出真我。唯有驅逐對完美的強迫症，以及對不完美的恐懼，我們才能真正地為自己而活。

不再盲目追求或許根本不存在的完美人生，能讓我們變得快樂許多。不需要逼自己非得做到一百分，畢竟，人生不是一場考試。

脫下希望的假面，直視內心陰暗

「強迫抱持希望」，等於剝奪了一個人悲傷的自由。
一生之中，每個人都曾有過想躲進洞裡、把自己封閉起來的日子。
這種看似逃避的行為，或許是另一種求生的渴望……

莫名的自尊底線，讓我躲進了自己的洞穴

有著極高的自尊，以及自卑的心態，釀成了問題根源。這種人通常會在「以虛偽的笑容掩蓋真實的自己」和「躲進只有自己的洞裡」兩者中擇一而行，而我選擇了後者。太過恐懼一切的我，只能躲藏起來，緊鎖心扉，逃到誰也找不到我的地方。然而，當我總算抵達終點的避風港，戰爭卻才正式宣告開始。一場與自己永無止盡的戰爭……沒有規則，也沒有秩序。

這裡只有恐懼，它占據了記憶，駭人地追趕著我，苦苦挖掘被廢棄在內心深處的同伴，逼我切實地意識它的存在。我花了很長時間，拚命想找出恐懼的廬山真面目，卻始終只能在它周遭徘徊，一再地無功而返。

仔細想想，我根本從未感受過恐懼，而是害怕恐懼的自己。無從得知它究竟想摧毀我體內哪些部分，使它更加膨脹；我轉而追趕未知的恐懼，卻反而刺激了它，使其無限繁衍。對恐懼的窮追不捨，逐漸耗盡了我自己。然而，相較於把恐懼埋藏心底，對別人傾訴它的存在，才是最難跨越的障礙。有時，恐懼會成為一段關係的包袱，甚至比斷絕關係更為可怕。那些難以啟齒的恐懼，說穿了，就是莫名其妙的自尊底線。最後我只能獨自淒涼地消逝，而我的人生也以令人咋舌的速度萎縮殆盡。

春去秋來，我記不起究竟經過了多少個季節，可能是一段極長的時間，也可能只是一剎那。歷經無數艱辛試煉後的某天，解決之道偶然探頭。早上起床後，我拉開窗簾，小心翼翼推開陽台窗戶，瞥見了不知名的野花盛放。也許是因為陽光和煦的照映，小黃花看來更顯絢麗。左右端詳了好一陣子，我悄悄走回房間，翻了翻桌上的月曆，原來已是五月，春天來了。我這才結束藏匿，離開了洞穴。

《被囚禁的春天》——想要走向陽光，卻移動不了腳步

每當憶起那段時光，我便會想到十九世紀英國畫家亞瑟・赫克（Arthur Hacker, 1858-1919）的《被囚禁的春天》（*Imprisoned Spring*）。這幅善用戶外自然光線描繪而成的外光派（Pleinairism）肖像畫，是赫克晚期的作品。

陽光投射而進的窗邊，站著一名女子。腰際圍著圍裙，正在整理餐桌的她，忽然停格。屋內滿是窗外透入的陽光，氛圍卻莫名地鬱悶、酸澀，

甚至連猛烈的陽光，都是那樣地具有破壞性。女子身邊的一切都在陽光環抱之下盎然躍動，唯有她，像是被陽光囚禁般，動也不動。左手緊緊握拳，右手牢牢抓住餐桌，輕倚在僻靜屋內一隅的她，顯得楚楚可憐。桌上擺著殘留部分餐點的白色餐盤，略顯乾癟的半邊梨子斜倚著桌面，加上隨意放置的刀叉，無一不在隱喻女子心聲。

女子的神態，耐人尋味。注視窗外的臉龐，流露出五味雜陳的情緒；緊閉的雙唇乾澀無語，僵硬的表情荒蕪漠然。凝望世界的眼神，啣著無止境的嗔恨；彷彿下一秒就會潸然淚下的偌大雙眸，流溢著無盡傷悲。

身軀藏於陰影之中的女子，視線卻朝著陽光。即使被囚禁在只有自己的無邊黑暗，悲觀得再也無從向外跨出一步，仍哀切地嘶吼著：「有沒有人能把我從這裡救出去？」渴望著即刻奔向燦爛豔陽，卻又寸步難行。一如停滯的時間，女子的心也被囚禁於此。

春天，什麼時候會蒞臨女子的內心呢？「幸好她的眼神還留著渴盼人生的熱情。」這樣的念頭，或許只是我一廂情願的私心……

有時候，安慰只是我們為求心安的殘忍行徑

被接連不斷的狂風暴雨困得動彈不得，好不容易找到棲身的洞穴；無從得知明天大雨是否停歇，還要求躲在洞裡的人離開，顯然安撫不了他們慌亂的心，這不過是你我都心知肚明的虛偽安慰罷了。

《被囚禁的春天》，1911／亞瑟・赫克
布面油畫，92.0×71.5cm

有時候，所謂安慰，只是我們為求心安的殘忍行徑。勸誡試圖自殺的人「拿出必死的勇氣好好活下去」，或是要求失去子女的父母「好好振作起來過日子」，我們總是若如其事地說出種種無禮安慰和自以為是的忠告，誤以為自己有能力攙扶別人，其實只是在別人的傷口上灑鹽。

我想，真正的安慰，不是替對方擦眼淚，而是陪他一起哭；不要藉由安慰他人來讓自己好過，而是以同理心，陪伴對方度過煎熬的日子。

所有的強迫都是一種暴力行為，其中尤以「強迫抱持希望」最為惡劣，它甚至剝奪了一個人悲傷的自由。如同愛爾蘭作家奧斯卡．王爾德（Oscar Wilde）所言，「充滿希望的思考方式，最終皆藏著駭人的恐怖。」擔心自己活不下去，或許才是人們歌頌希望的真正原因。

為了生存，你我用各式各樣的歪理掩藏內心的懦弱；一味地擁抱希望，只會迎來更加殘酷的日子。我們偶爾想靠無謂的希望填補內心空虛，但這從頭到尾都是不可能發生的事。希望不僅不值得相信，甚至反覆上演背叛我們而去的戲碼。抵押給希望的人生，無疑只會淪為不幸；唯有不再把希望神格化，才能真正擁有希望。

我不打算再抱持著自欺欺人的希望；與其這麼做，倒不如脫下希望的假面，側耳傾聽自己內心的陰暗……一念之間，就此成了我人生重大的轉捩點。

絕望傾盆後，迎來的希望才平穩而實在

停止空轉人生的那一刻起，我才真正貼近了自己。置身與世隔絕的時空中，面對深無可測的內心世界，察覺聆聽心底沉默的價值。經過了好長一段時間，我總算從一片渾沌中抽身……雖然是一段極為痛苦的時期，卻能藉此發現希望的真面目，進而將黑暗轉換為光明。這道光，迄今仍未曾熄滅地，長存於我心深處。

能將內心陰暗化為光芒的人，心底都潺潺流著安穩的平靜。如同大雨停歇後，世界漫溢著靜謐，絕望傾盆後，迎來的希望才是平穩而實在。切實感受恐懼之後，我不再沉溺其中。

曾經躲在自己洞裡的人都懂，那種想出去卻出不去，任誰也拯救不了自己的感覺。一生之中，每個人都有過想躲進只有自己的角落、或唯有把自己封閉起來，才能夠繼續活下去的日子。這種看似逃避的行為，或許是另一種求生的渴望；對於選擇一步一步走出洞穴，而非速速離開的人來說，真正需要的是，靜待靠自己走出去的那一天到來。

一再地拖延，其實不是懶惰，而是恐懼。面對恐懼需要時間，靜靜地盼望，盼望不要太孤單、不要太悲傷、不要太痛苦、不要走到太深之處，就此停在有人能找到自己的地方……伸手不見五指的洞穴中，唯一能驅逐黑暗的，終究還是一絲微光。

儘管如此，
仍要熾熱燃燒生命

芙烈達．卡蘿一生遭受的肉體與精神磨難，皆在畫作裡展露無遺，
可是，卻有更多的人在其中看見了希望，而非絕望。
這些畫呈現了她苦不堪言的經歷，卻反而突顯人類的意志力有多麼強大。

禍不單行的日子，身心皆傷痕累累

屋漏偏逢連夜雨，所謂禍不單行，不幸往往接踵而來。各式各樣的衰事就像接力般，一棒接著一棒找上我。原本不該如此煎熬，偏偏一切都變得折磨不堪的那年，我不過才二十三歲。某天，我甚至癱坐在地，大喊著：「夠了吧！」那時的我，太年輕、太脆弱、太無依……事實上，當時也的確沒什麼能靠「人力」改變的事，唯有企盼著時間快點過去，一天熬過一天……

飽受噩夢纏身的某個清晨，被媽媽一聲「起床！」嚇得睜開雙眼，清醒的瞬間，我不禁鬆了口氣。手邊有個不知是被汗水或淚水浸濕的枕頭，兩頰仍留著微微被風乾的淚痕。

好不容易拖著沉重的身軀，坐到餐桌邊，舉起千斤重的筷子，夾了塊炒魚丸放進嘴裡，除了軟爛的口感，沒有任何味道。我心想，「可能是還沒睡醒吧？」於是起身刷牙，刷到一半才驚覺口水從嘴裡嘩啦啦流了出來……「到底怎麼了？」我開始感到極度不安……

匆忙趕往離家一小時車程的大醫院，經醫生確診為「顏面神經麻痺」，除此之外，沒有一樣是明確的。聽到醫生說出無從得知病因與是否能夠根治，我的眼前一片漆黑。

到藥局領了數量驚人的藥包，再度驅車返家；來到路口，我盯著綠燈，車子才在停止線多停了三秒吧？我的身體便伴隨碰地一聲巨響，騰空飛起，頭、胸接連撞上了方向盤——我出車禍了。過了一會兒，我聽見車旁的圍觀群眾，發出如蟬鳴般的嗡嗡聲響。

好不容易回過神，想起以往看過「這種情況繼續待在車裡會更危險」的報導，全身上下不知是出於冬天的寒意或內心的害怕，瑟瑟發抖……過了一陣子，我抵達醫院。上午才為顏面神經麻痺而來，下午居然又因車禍被送了過來。照完X光後，我莫名其妙地笑了，醫生問我為什麼笑，我只能說：「因為哭不出來。」

經過數個月的集中治療，身體雖然完全康復，但因顏面神經麻痺產生的人群恐懼症和車禍創傷後壓力症候群，苦苦折磨了我好長一段日子，就像芙烈達·卡蘿一樣，身心皆傷痕累累。

芙烈達・卡蘿——對苦難人生展現強悍意志

芙烈達・卡蘿（Frida Kahlo, 1907-1954）是將肉體與精神磨難昇華為藝術的墨西哥畫家。卡蘿家境貧寒，母親飽受憂鬱症困擾，只能在奶媽照料下成長的她，六歲時罹患小兒麻痺，十八歲時因車禍導致脊椎、雙腳、子宮嚴重受損，一生動過三十餘次手術才得以存活。後來，她又因天生骨盆畸形，歷經三次流產後得知自己再也無法生育，承受了天崩地裂般的傷痛。不久後，卡蘿罹患了會導致肌肉組織腐爛的壞疽病，必須接受腳趾截肢，也曾於骨髓移植時被細菌感染，來回進行數次手術。最終，她仍舊因每況愈下的健康狀態，不得不在晚年將右腳截肢。終其一生，卡蘿幾乎未曾度過沒有病痛的日子，反覆遭逢各種意外與不幸，面臨難以想像的至極痛苦。

折磨她的，不止是肉體層面的傷痛。深信藝術創意源自與女人交往的墨西哥畫家，同時也是卡蘿的丈夫——迪亞哥・里維拉（Diego Rivera），其風流成性與糜爛的私生活，一再激怒卡蘿；不知檢點的里維拉甚至染指卡蘿的親生妹妹，使她深受打擊，歷經漫長的迷惘與煎熬。儘管如此，始終執著於愛的卡蘿，還是與里維拉分分合合了好幾次。

對卡蘿而言，里維拉是無法用任何言語定義的存在，他是她唯一的愛，也是唯一的恨；是她終生的伴侶，也是永遠無法同行的仇敵。里維拉為卡蘿帶來無盡快樂，也帶來劇烈苦痛；在賦予她極大希望的剎那，又將她推落絕望煉獄。

卡蘿一生遭受的肉體、精神折磨，皆在她的畫作中展露無遺，創作於一九四四年的《破碎的脊柱》（*The Broken Column*）即為代表作之一。經歷種種意外，接受了數次脊椎手術的她，以「破碎」形容自己的痛楚，如實描繪出對生命的悲觀態度。

粗大的鐵柱貫穿身體中央，加以束縛全身的矯正器，讓畫中主角看起來連呼吸都顯得困難。每一次呼吸，孱弱的身體只能發出微微的喘息聲。從大大的雙眼中墜落的淚水，以及飽受磨難的痛苦呻吟，在在讓置身繪畫之外的觀看者感同身受。釘滿全身的無數鐵釘，搭配荒蕪、乾涸的背景，毫無保留地呈現卡蘿的內心世界；從那雙深邃、哀戚的眼眸，不難窺見她傷痕累累的經歷。

卡蘿的一生，是難以言喻的苦難歷程，遠超過一個女人纖弱的身軀所能承受。然而，繪畫卻成了她支撐下來的動力。對卡蘿而言，唯一能自由運用的身體部位只有雙臂，因此躺臥病榻時，她不斷作畫，這也是她唯一能做的事。卡蘿仔細觀察鏡中反射的自己，畫下了自畫像，她曾說：「我畫自畫像，是因為我常獨處，也因為我是自己最了解的主題。」由此足見卡蘿悲痛的內在世界。

耐人尋味的是，有更多的人透過卡蘿的畫作看見了希望，而非絕望。這些畫分明活生生呈現了她苦不堪言的經歷，卻反而突顯人類的意志力有多麼強大。即使慘遭磨難，卡蘿卻始終未曾放下畫筆，她的堅強意志，為許多人帶來一絲希望。

《破碎的脊柱》，1944／芙烈達．卡蘿
纖維板油畫，30.5×40cm
墨西哥墨西哥市多洛雷斯．奧梅多博物館（Museo Dolores Olmedo）

我記得從前曾看過以海登·賀蕾拉（Hayden Herrera）所著的卡蘿傳記改編拍成的電影《揮灑烈愛》（*Frida*）。只是旁觀都讓人覺得痛不欲生的卡蘿一生，讓我從頭到尾緊鎖眉頭，甚至在電影結束後，還失神地盯著片尾的工作人員感謝名單。飾演卡蘿的墨西哥演員莎瑪·海耶克（Salma Hayek），曾經在電影拍攝完成後說道：「芙烈達·卡蘿帶給我最大的改變，是擁有當下的平靜。即便我看來熱情洋溢，但這份熱情原先曾分散與貧瘠，現在之所以變得強烈，乃是源自於內心的實在與平靜。」說來或許有些諷刺，但我們確實藉由芙烈達·卡蘿戰亂般的人生，學會了感恩，並且看到蘊含其中的熱情與希望。

晚年時，已經無法坐起的卡蘿曾拖著惡病纏身的軀體出席一場展覽，那是她第一場、也是最後一場的個展。她以躺臥的姿態，與前來參觀的人們談笑風生。隔年，卡蘿便以滿身瘡痍的人生做為謝幕的背景，與世長辭。死前，她留下這段遺言：「但願離去是幸，但願永不歸來。」

對卡蘿來說，死亡是根治人生無盡苦痛的良方。儘管生命狠狠地衝撞，讓她跌落深不見底的孤獨深淵，她卻藉由繪畫，風化了悲傷，用盡力氣與方法，熾熱地，活過一趟精彩人生。

我們也應當經常抱持「儘管如此」的處世智慧——儘管如此，仍會再度產生勇氣；儘管如此，仍能再度懷抱希望。恰似靈魂裂了縫，身體如一道殘破不堪的鐵路，卻始終對生命擁有強悍意志，且不斷傳遞希望的女子——芙烈達·卡蘿。

放下我執，認識真正的自己

「透過沒有偏見與我執的清澈雙眼，
看看自己的臉龐，才能看清真正的自己。」
不斷以真摯的愛，深刻地凝視自己，只為遇見那個不假修飾的我。

偶然瞥見鏡中的我，竟是如此陌生

經過那一段時期，我領悟了三件事：不要過度期待、不要輕易相信、不要隨便崇拜。如果要以一個詞彙為我的二字頭人生作結，我會選擇──「徬徨」。即便現在回頭審視，仍覺得當時的自己可謂目空一切。

徬徨之所以找不到出口，來自於我執。世界充滿完全無法理解的荒謬，自己所理解的，卻不存在於這個世界；鍥而不捨地想要探找某樣東西卻遍尋不著，偶爾居然還佯裝自己有所斬獲；不想輸給世界，更不想承認自己敗下陣來；需要時間安撫血氣方剛的自己，卻又想快轉時間給自己一個交代。明明只有我一個人的時空，卻又迷失於其中找不到自己。

後青春期的某一天，不經意看了看鏡子，我已經好久沒有看過自己的眼睛了……那個模樣，好可怕。那張臉，爬滿了自怨自艾與凌亂不堪，我不為人知的陰暗面，比想像中更為厚實、濃重。緊盯著鏡中的自己很長一段時間，我卻始終不明所以：為什麼臉上的表情和想像中的模樣，有著那麼大的差異？

我用失去靈魂的雙眸，端詳自己；用悲戚的眼光，摸索著陌生的自己。我到底拚了命在追尋什麼？鏡中的我，就像美國印象派畫家威廉・馬里特・切斯（William Merritt Chase, 1849-1916）的畫作《鏡子》（*The Mirror*）中的女子。

照著鏡子的女人，妳們想訴說些什麼？

身穿黑色和服的女子，注視著鏡子，但鏡中所反射的臉龐卻十分模糊。霧濛濛的臉，籠罩著迷茫的失落感；洩氣的鬆垮肩膀，乘載著原始的孤寂。素雅的神情，成熟卻悲壯；整齊的裝扮，端莊卻沉重。藏身於莊重外表下的她，真面目究竟為何？女子心底深埋的悲傷，悄然無聲。恰如緊閉的雙唇，牢牢鎖住的心扉，絲毫不見能被開啟的跡象。

忽然，女子拋出了一個終極問題：我是誰？我是什麼樣的人？正因不知道自己的真正面貌，內心才會如此紊亂、難以理解。女子凝望自己，微弱地顫抖著，渴望找回失去的自我。

然而，試著移開焦點，重新審視這幅畫，便赫然發現鏡中女子身後，滿是絢爛陽光與金黃波紋。時刻變幻的繽紛色彩，佐以璀璨的金黃饗宴，漫溢感性的溫煦氣息，光采奪目地環抱女子。煥然一新的躍動，預告著生命的希望正漸漸走近女子身邊。

有壞事，自然就有好事；有悲傷的事，當然也就有快樂的事，這是亙古不變的生命定律。即使現在的模樣如此渾沌、黑暗，挺身坐著的她，早已醞釀著強大的能量。只要女子回首看看自己的身後，便能察覺世界已然散發出絢爛光輝。

這幅畫創作於一九〇〇年，是切斯以鏡子為題的系列作之一。切斯留下的作品中，有許多都是描繪「照鏡子的女人」，例如一八八三年的《鏡子》（*The Mirror*），畫中有一名身穿粉紅禮服的女子，站在鏡前整理頭髮；一八九三年的《反射》（*Reflection*），描繪一名坐在椅上的女子，凝望著被窗簾遮蓋的鏡子；《鏡前的年輕女子》（*Young Woman Before a Mirror*）則刻劃女子在漫溢紅光的屋內照著鏡子，華麗而莊嚴。而投映於鏡內的臉龐，大多陰暗且模糊，是此系列最為醒目的特色。

黯淡模糊的鏡像，恰如人類撲朔迷離的內心

鏡子不僅是反射物件形象的道具，也具有顯露人心的暗示，因此自古以來即被用以投射自我意識。而切斯即藉由鏡中女子黯淡、模糊的臉部映像，表達人類複雜、微妙、撲朔迷離的內心世界。

《鏡子》，1900／威廉．馬里特．切斯
布面油畫，91.4×73.7cm，美國辛辛那提美術館（Cincinnati Art Museum）

切斯所呈現的鏡像，將人類的心理樣貌加以具體化。是鏡子投映了我，抑或是鏡子那端存在著另一個我？原原本本呈現了連自己都未曾知曉的自己，不僅令人驚嘆於鏡中不可思議的實體形象，同時也傳達了某種未知的恐懼。因此，照鏡子成了一種讓人又愛又怕、卻又得以探索自我的過程。

在切斯的畫作中，「日本元素」的重要性與鏡子不相上下。曾遊歷過法國、義大利、西班牙等歐陸各地的切斯，深受當時畫家們醉心的日本藝術風格「日本主義」（Japonism）所影響。不知是否基於這個緣故，坐在日本屏風前的女子、欣賞日本插畫的女子、穿著日本傳統和服的女子等，都經常在切斯的畫作裡現身，而《鏡子》這幅畫同樣巧妙刻劃了女子身著和服的異國情調。由此不難窺見十九世紀的美國畫家，是如何將眼中迷人的東洋神秘風情，融入西洋文化之中。

繪畫，足以激發跨越時空的共鳴。熬過時間洪流、戰勝空間侷限，因而永恆流傳的繪畫，廣受後世愛戴。切斯的畫作，藉由古今皆同的人類心理，試圖不斷拋出問題和現代人對話，經由與你我的溝通，讓世人理解並接受他的作品。

安靜、專注地看畫，並藉此啟動透析他人與自己內心層面的能力。透過「鏡子」這個媒介，讓我們重新凝視自己的切斯畫作，也因此而顯得獨樹一格。

認識真我，啟發好好愛自己的能力

我仔細回想，懂得愛自己，似乎只是不久之前的事。我花了很長一段時間，冥想般靜靜注視自己，像作畫一樣，仔細地觀察自己。時間不斷流轉，那顆混濁不清的煩躁之心，慢慢變得澄澈。

荷裔美籍藝術家佛瑞德里克．弗朗克（Frederick Franck）曾在其著作《以眼觀禪》（*The Zen of Seeing: Seeing Drawing As Meditation*）中提及：「透過沒有偏見與我執的清澈雙眼，看看自己的臉龐，才能看清真正的自己。」不斷以真摯的愛，深刻地凝視自己，只為遇見那個不假修飾的我。

回想過去的我，那個老是不支持自己、處處為難自己的我……銳利卻軟弱，逼得自己痛苦不堪。雖然是一段極為愚蠢且漫長的日子，卻也讓我找到了自己。有了不再因感情用事而飽受煎熬的領悟，成為認識真我的契機，啟發我好好愛自己的能力。我學會了不再逼迫自己、可以隨興地放鬆、適時地任性一下，最重要的是，百分百允許我做自己。就這樣，我好像才變回了我……能夠認識自己，真好！

生命本就有限，更要盡力而為

我們不妨仔細思索，死亡對自己而言，究竟蘊藏什麼樣的意義？
藉此回顧過往一切，將死亡視為重新檢視人生的大好機會，
好好珍惜「借來的」時間，盡力而為直到生命的最後一刻。

凝視死亡，是一份深沉的生命功課

充滿離別的一週。一人喜喪，一人因意外離開世間。大部分的死亡，都來得突然，鮮少有提前預告的狀況。收到死訊時的悲慟、確認死亡時的虛脫、在喪禮簽到簿上簽名時的茫然、面對死者家屬時的哀傷、獨留人世時的思念⋯⋯歷經這些情緒起伏後，油然而生的念頭是：總有一天，我也會死。

那陣子與朋友們的談話，都不免提及，我們永遠不知自己何時會離開這個世界，所以更應該好好珍惜每一天。親手送別自己的摯愛，往往痛得讓人難以承受。人生在世，或許就是為了在某個人心上多留下什麼吧？為死者舉辦的喪禮儀式，反倒諷刺地對留在世上的人產生慰藉。表面上雖是祈願死者安息、向死者道別，實際上卻更像是撫慰生者的過程——

將大家集聚一堂，哀悼某人的死亡，彼此扶持，慢慢克服悲慟。看著別人遭遇突如其來的死亡，頓悟自己還好好活著的今天有多麼珍貴，進而底定決心，把握當下。或許，這正是死者留給生者的最後一道訊息。

死亡，是眾多畫家千古不變鍾愛的主題。他們不將畫筆停滯於單純的死亡，而是時而體現對未知世界的恐懼，時而藉此緩和內心的不安、時而用以告別自己的摯愛……以各式各樣的方式，透視死亡。

瑞士象徵主義畫家阿諾德・伯克林（Arnold Böcklin）筆下的《死亡之島》（*Isle of the Dead*），黑色柏樹矗立於高聳入雲的島嶼，一艘小船現身，倍添畫中難以言喻的詭異氛圍；俄羅斯寫實主義畫家尼可萊・亞羅申柯（Nikolai Yaroshenko）的《第一個孩子的葬禮》（*The Funeral of the Firstborn*），以哀傷的藍色調，描繪一對失魂落魄的父母在冰天雪地中抱著孩子的棺木，準備前往埋葬；法國印象派畫家馬內以《自殺》（*Le Suicidé*）畫出一名朝自己胸口開槍的男子，倒臥浸滿鮮血的床鋪，這是馬內描繪自己模樣的作品，亦即透過想像中的死亡，解放自我的形而上概念。

瑞士象徵主義畫家費迪南・霍德勒（Ferdinand Hodler）仔細觀察妻子瀕死的模樣，並將這段過程畫成一系列的作品。繪於一九一四年的《病妻》（*Valentine Godé-Darel on Her Sickbed*），以完成第二次手術後躺臥病榻的妻子為主題；隔年，他再藉由《虛脫》（*The Ailing Valentine Godé-Darel*）的激烈筆觸，描繪厭倦與病魔纏鬥的妻子；在《掙扎》（*The Agony*）中，他將妻子死亡前一天，張嘴呼吸最後一口氣的模樣收進畫布。最後，這一系列作品以《亡妻的最後一幅畫》（*The Last Painting of the Dead Valentine*）留下妻子長眠的樣貌，做為總結。對霍德勒而言，這些畫作記錄著他與妻子共同面對病痛的過程，也是他告別摯愛的方式。

古斯塔夫・克林姆——溫柔、有力地闡釋生死議題

來自奧地利的古斯塔夫・克林姆（Gustav Klimt, 1862-1918），則是另一名將關注聚焦於死亡的畫家。有人稱克林姆是「印象派畫家」、「分離派畫家」、「金黃色的情慾畫家」等，但我更想稱呼擅以生死為創作主題的他為「生命畫家」。

死亡，一向是克林姆首選的創作題材。克林姆出生於貧窮卻手足眾多的家庭，就在全家和樂生活的某天，弟弟恩斯特驟然離世，對他造成極大打擊。弟弟的死亡，導致克林姆陷入混亂的精神狀態，飽受折磨，甚至無法再度提筆作畫。自此休養約三年時間的他，開始深刻思索人類的生死，進而拓展自己的思考模式。

克林姆創作過許多以生死為主題的畫作，《希望一》（*Hope I*）闡釋面對不可抗力的死亡時，新生命的誕生是唯一能與之抗衡的方法；《希望二》（*Hope II*）將骨骸繪於孕婦手肘邊，用以表現生老病死為人類的必經階段；在《生命之樹》（*Tree of Life*）中，則透過律動感十足的樹枝變化，象徵不斷轉動的生死輪軸，恰如輪迴的概念。而《死與生》（*Death and Life*）尤為其中的代表作。

創作這幅畫的當時，歐洲世界正陷入世紀末厭世主義的狂熱中。西西里大地震帶走超過十萬條人命、被認為是不祥預兆的哈雷彗星出現等，在在引起社會恐慌；不久後，舉世聞名的豪華郵輪鐵達尼號意外沉沒，造成一千五百多人瞬間喪命。面對接二連三的天災人禍，有感而發的克林姆，於是將自己對死亡的觀點投注在《死與生》這幅作品中。

畫中可見象徵死亡的骷髏頭，以及代表神的大大小小十字架。以骷髏頭形象現身的死神，嘴角揚起一抹微笑，虎視眈眈地覬覦著生命的縫隙。與死神正面相對的一群人，不分性別、年紀、人種，融為一體，緊緊相依，絲毫不打算騰出任何空隙。這其中除了有雙手合十祈禱的老婆婆、埋首鞏固中心的男子、雙眼閃閃發亮的少女，最上方還有一名緊抱孩子的母親，以及她懷中酣睡的小男孩。

克林姆以一體的型態呈現生命的樣貌，彰顯人類最終需要的，仍然是名為「人類」的生命體，以傳達沒有人可以離群索居，勢必得相互扶持的不朽真理。剎那間，飽受死亡威脅的脆弱生命，轉而生出強而有力的生存意志。克林姆將畫作命名為《死與生》，而非《生與死》，即為強調「死而後生，生而後死」的生命循環，而非「有生必有死」的結果論。一體兩面且具突破性的生死觀，點醒世人勿單純將死亡視為絕望，或只是將生命視為希望。

完成這幅畫數年後的某一個冬日，克林姆便因急性腦出血悄然離世。當時，他一輩子的摯愛艾蜜莉．芙洛格也陪伴左右，想必克林姆應該死而

《死與生》，1910／古斯塔夫．克林姆
布面油畫，178×198cm，奧地利維也納利奧波德博物館（Leopold Museum）

無憾了……即使克林姆已不在我們身邊，他留下的畫作，卻溫柔有力地讓世人了解，死後的彼岸究竟為何。

你我該恐懼的不是死亡，而是死亡般的人生

每一天，我們都距離死亡更近一步。誕生的那一刻，即是邁向死亡的起點；死亡，無疑是所有人類的終站。有時，我們會因為害怕而逃避、拒絕面對死亡，然而，接受生命的有限、接納死亡是人生必經的過程，必定能消除原先對死亡的恐懼。

你我真正該恐懼的不是死亡，而是死亡般的人生。死亡代表的並非悲傷或可怕，我們不妨仔細思索，死亡對自己的人生而言，究竟蘊藏什麼樣的意義？藉此回顧過往一切，將死亡視為重新檢視人生的大好機會。好好珍惜「借來的」時間，盡力而為直到生命的最後一刻，對終將面對死亡的你我而言，或許就是最好的禮物。

以死亡為前提的人生，才能永保璀璨光采。

做自己的主人，擁有獨立的靈魂

別為隨波逐流，失去本心；盲從世界運轉，終將一事無成。
沒有什麼比找到自己更重要，我們都需要捫心自問：
我是否選擇了自己真正想要的人生？我是不是自己人生的主人？

不依照自己的想法生活，最終只會被生活改變想法

幾年前，短暫停留在捷克布拉格時，我曾接受一個當地家庭接待。接待家庭的主人是一位經營小糖果鋪的老奶奶，三年前才道別丈夫的她，獨自度過餘生。她的家中滿是精緻可愛的裝飾品，與沾附歲月痕跡的舊家具；各式各樣的手作小物，讓整個家洋溢著濃濃人情味。

當時，我和老奶奶坐在客廳沙發上，一起享用香氣四溢的紅茶，天南地北聊了很久。突然，老奶奶說道：「我的人生就是一場夢，做了一輩子的夢，忽然就結束了……我希望妳能活在現實，隨自己所想、從自己所欲，真真正正地活一場。」我永遠難以忘記，她說這番話時的語氣……

大多數的人，都不是隨心所欲地生活，而是過一天算一天。儘管這是一

種不幸，但也是自己選擇了熟悉的舒適圈。一如法國作家保羅．瓦勒希（Paul Valéry）所言，「如果不依照自己的想法生活，最終只會被生活改變想法。」如此看來，我們的確應該學會隨心所欲而活。

這裡就有一個認真活出自我的例子：法國畫家蘇珊娜．瓦拉東（Suzanne Valadon, 1865-1938）。身為洗衣婦私生女的她，在貧寒家庭中成長，從小做過裁縫、清潔工人、洗衣婦、馬戲團團員等工作，靠雙手自食其力。後來，瓦東被法國壁畫家皮耶．夏凡納相中，躍身成為模特兒，自此成為雷諾瓦、羅特列克、竇加等當代名家的畫中主角。

然而，萌生創作念頭的她，不甘只被當成畫中的模特兒，開始偷偷學習作畫、自學技法，進而創造屬於自己的畫風。後來，羅特列克發覺瓦拉東有繪畫天賦，鼓勵她成為專職畫家；竇加知情後，也全力提供瓦拉東物質與精神上的雙重協助。

直到兒子出生那年，瓦拉東才正式開始作畫。儘管當時女性畫家多以繪製靜物畫與風景畫為主，唯有男性畫家能夠繪製人物畫，瓦拉東卻獨排眾議，也像某些男性畫家一樣，選擇裸女畫為創作主題。

蘇珊．瓦拉東——「暴風的女兒」，活出自我本色

相較於男性的唯美視線，以女性的觀點描繪女性裸體，更能如實呈現女性體態。現身瓦拉東畫中的女性，擁有不落窠臼的自然美，而非加以修

飾的典型美。在《亞當與夏娃》（*Adam and Eve*）中，可見一絲不掛的男女摘採樹上的蘋果，並以大膽的構圖呈現兩人自在相處的模樣；《藍色房間》（*The Blue Room*）則以強烈的筆觸和繽紛色彩，勾勒出面無表情叼著菸，躺在床上的女子姿態。

瓦拉東創作於一九一七年的《女人畫像》（*Portrait of a Woman*），更是坦率地描繪自己產後臃腫的身體，藉以強調女性的軀體僅是軀體，與性欲毫無掛勾。相較於呈現女性的美好，瓦拉東更希望透過瀰漫強烈自我意識的繪畫，強調自己的畫家身分。

由此也不免讓人想比較，男性畫家筆下的瓦拉東與她自畫像中的形象，兩者究竟存在何等差異。雷諾瓦藉由《城市之舞》（*Dance in the City*），將她刻劃成惹人憐愛的清純女子；在竇加《浴盆中的女人》（*Woman bathing in a Tub*）筆下，她是略帶羞澀的神祕女子；羅特列克的《蘇珊·瓦拉東肖像畫》（*Portrait of Suzanne Valadon*）之中，她則是眼神深不可測的絕色女子。

不過，從瓦拉東繪於一八八三年的《自畫像》（*Self-Portrait*）看來，她似乎更想透過正視前方的模樣，闡釋自己堅毅與自信的一面。相對於其他畫家筆下被動、消極的女性形象，瓦拉東呈現的自己，則有著積極、進取的模樣。換句話說，這並不是在他人或男性意識中，理想化、典型化的女性形象，而是瓦拉東寫實描繪的，獨立自主的「自己」。

《被拋棄的玩偶》，1921／蘇珊娜．瓦拉東
布面油畫，129.5×81.3cm
美國華盛頓國際女性藝術博物館（National Museum of Women in the Arts）

《被拋棄的玩偶》（*The Abandoned Doll*）是瓦拉東創作於一九二一年的作品，畫中描繪女孩拋棄了活得如同玩偶般的過去，決心成為主導自己人生的主人，這也正是她藉以反映自己人生態度的作品。

剛洗完澡的女孩，坐在床上擦拭身體殘留的水珠，雙頰仍因沐浴的熱氣未散而顯得暈紅。不久後，走進房間的母親坐在女孩身旁，拿著大毛巾替她擦遍全身。女孩不知為何地背對媽媽，移開自己的視線，專注看著投映在手拿鏡裡的自己。突然，我們見到女孩腳邊有個玩偶，一個與女孩繫著同款粉紅髮飾的玩偶，靜靜躺在地上。被拋棄的玩偶，正是女孩本人。女孩丟掉玩偶的堅定神情，彷彿宣告著：「我再也不是任何人的玩偶，從現在起，我要過屬於自己的人生。」

藉由繪畫，瓦拉東明確地向世人道破自己掌握主導權的獨立人生觀。我們也不難透過畫中女孩發現自己，省思自己的內心是否存在某種來自他人設定的標準，誠實審視一路走來的人生。我不禁想起美國自然主義思想家亨利．梭羅（Henry David Thoreau）的一番話：「別為隨波逐流，失去本心。本來無一物，盲從世界運轉，終將一事無成。」

成為獨立的個體，理直氣壯地享受人生

謙卑聆聽，和看別人的臉色、費心費力在意外界評價，完全是兩回事。既然這世界存在著任人擺布的人生，當然也存在著獨立自主的人生。我想，這正是瓦拉東想向你我傳達的人生真諦。

有句話說，「好女人死後上天堂，壞女人活著時，便無所不去。」而瓦拉東選擇了後者。她拒絕迎合所謂好女人的神格化形象，積極滿足自己的欲望，痛快地當一個壞女人。最後，當時連出身上流的女性都難以被認同畫家身分，瓦拉東這個家境貧寒的女子，卻憑藉自己的力量，成為名留青史的偉大畫家。

瓦拉東自詡為「暴風的女兒」，即使置身充滿變數的人生，她仍不減熱情地充實自己，擁有比誰都更自由的靈魂。相較於簡樸的農作生活，她選擇了波瀾跌宕的人生；相較於富裕的日子，她選擇了榮耀的人生。她，是蘇珊娜．瓦拉東。不隨波逐流，活出自我本色；鍥而不捨努力，只為活得隨心所欲。這樣的她，值得獲取世人的掌聲。

若人生的主體不是自己，實屬不幸；能以真實的樣貌活著，才是至福。沒有任何事情，比從自己身上找到自己更重要。我們都需要捫心自問：我有沒有理直氣壯享受人生的權利？我是否選擇了真正想要的人生？我是不是自己人生的主人？

所謂人生的真義，是自由地、主動地把生活變成自己想要的模樣。人生的正面價值，在於對生命的熱情與直截了當的決心，並以此編織自己獨有的美好生活。即使走在不知何時落幕的人生旅途上，我相信只要坦然以對，這趟屬於自己的旅程，便能永恆留存。期盼我不會被任何人奪去應有的快樂，期盼我能活出自己所信所欲的人生。

動盪，
也是人生的一種美

儘管窮愁潦倒，梵谷自始至終都沒有鬆開畫筆。
他用澆不熄的熱情，拚了命讓絲柏樹搖擺晃動地活在自己的畫布裡，
靜靜向世人宣告：動盪也是人生的一種美。

跌宕多舛的人生，多希望能為你分擔

不知不覺，盛夏的翠綠已悄然無蹤，換來了多愁善感的季節——秋天。一陣陣風聲傳來，掠過樹葉、吹散落葉……如此動盪的畫面，為何如此美麗？林木如此，青春如此。殘餘的事物，為何如此悲傷？樹葉如此，生命如此。霎時，我才頓悟：動盪也好，殘餘也好，一切都是人生。每逢此時，我總會想起一個人，只要他坐在微風襲來的大樹下看見落葉，便會因眼前所見而聯想起死亡。

不幸，突如其來地出現。相識許久的他，因為母親事業失敗，瞬間揹上鉅額債務。無可奈何之下，他只能放棄憧憬已久的畫家夢想，為求餬口四處奔波，籌措貸款、生活費，以及罹癌弟弟的醫藥費。除了正職，他還得做各種兼職，日夜孤軍奮戰，一邊償還根本不屬於自己的債務，一

邊咬牙扛起扶養家人的責任。沒想到屋漏偏逢連夜雨，他的父親竟然在此刻倒下，一家人隨即面臨房屋被拍賣的危機……沉重的壓力，也把他的身體逼出大大小小的毛病。

每天早上起床，面對這接踵而來的不幸，他非但沒有怨恨家人，反而靠著捍衛他們的念頭，撐過一天又一天……徹底將他擊潰的，並非一次次的不幸，而是無從得知不幸的盡頭，究竟在哪裡。如果事先知道期限，至少還有咬牙苦撐的動力，但置身於深不見底的窘境，只會讓人陷入無邊的恐慌。不見盡頭的痛苦，意味著痛苦根本不會結束……

所有的一切對他來說都是奢侈，遑論夢想……這就是現實。為了還債，賠上全部的青春；身邊發生的，不僅是不知何時結束的苦難，還有排山倒海而來的恐懼。

我永遠忘不了那一天。接到他久違的電話，我到達約定地點後，只見他低著頭，坐在便利商店前積滿菸蒂的簡易桌椅邊。聽見有人靠近的聲響仍然動也不動的他，肩膀微微地顫抖，淚流滿面的臉龐，令見者無不心酸。那樣的神情，就像是被整個世界狠狠揍了一頓。我只是輕輕拍了拍他的肩膀，再怎麼感傷，這也是我唯一能做的事……

他笑著說「沒事！不用擔心！」的臉蛋，莫名地有種枯槁感，是讓人不忍心多看一眼的陰霾嗎？看著他悲哀又開朗的背影離去，走在回家路上時，我總覺得不太安心，有些酸楚，也有些歉疚……隔天，他就死了。

他的笑容，是已成定局的悲劇。愚蠢的我，居然未曾察覺種種不祥的預兆。他為什麼就這樣離開了？是窮困逼得他喘不過氣，索性一走了之？還是耗盡對生命的熱情，再也沒有任何餘力？緩慢走向死亡之路的他，該有多麼孤單？我好想問他，只是，死去的他再也無法回答。

有很長一段時間，我的心上就像插了一塊碎玻璃，痛得不知如何是好。近來，我不時會想起他，猛然憶起那晚，在便利商店看到的他……這場跌跌撞撞的悲劇人生，真的和文森．梵谷好像……

文森．梵谷——傾洩全力，畫下對生命的激情

荷蘭印象派畫家文森．梵谷（Vincent van Gogh, 1853-1890）是十九世紀的代表性畫家，他的名字，似乎也成了某種形容詞。衝動的性格，加上正值年少輕狂，他總是和旁人相處不睦，發現自己與世界格格不入後，梵谷便漸漸被孤立在只有自己的天地裡。某天，彷彿再也忍受不了陰鬱的生活，為了擺脫冰冷、煩悶、灰濛濛的巴黎，梵谷決心前往陽光明媚的溫暖南方，來到普羅旺斯的小村落——亞爾。抵達此處的他，瞬間為眼前景色傾倒，藍天艷陽撫慰了梵谷，讓他逐漸找回心底的那道曙光。

在一片美景中，尤以高聳入雲的絲柏樹，牢牢抓住了梵谷的目光。從梵谷當時寫給弟弟西奧的信中，便能清楚看出他的心意：「絲柏樹總是深得我心，我想把它們當成創作題材，畫出像《向日葵》一樣的畫，我甚至驚訝自己居然從未畫過絲柏樹。絲柏樹就像埃及的方尖碑，擁有絕美

的線條與勻稱感，還有那股誰也無從比擬的濃綠……蜂湧而上的綠意，著實令人瘋狂。」

梵谷在亞爾達到了畫家生涯的全盛時期，有如神助般完成難以數計的作品，他的代表作《星夜》（*The Starry Night*）、《綠色麥田與絲柏樹》（*Green Wheat Field with Cypress*）、《星空下的絲柏路》（*Road with Cypress and Star*），都誕生於這段期間。此外，《絲柏樹與兩名女子》（*Cypresses and Two Women*）也是此時的傑作之一。

沁涼的藍天下，嫩綠色的原野宛如舞蹈般律動，綻放於田野上的花朵，黃黃紅紅，自顧自地艷麗。翠綠草原之上，可見直挺矗立的絲柏樹。絲柏樹緊緊抓牢地面且飽經風霜，光是靜靜佇立，都足以讓人感受其看遍滄海桑田的威嚴；高聳入雲的模樣，在在顯露清高、堅毅的氣勢。歷經無數歲月才長成大樹的樹蔭底下，出現了兩名路過的女子，她們手中拿著一束美麗的花。

這幅畫創作於梵谷一生中藝術熱情最為澎湃的時期。他長時間待在戶外作畫，將映入眼簾的每一幕景色，盡收畫布之中。梵谷描繪的並非雙眼所見，而是藉由繽紛色彩傳達自身的感受與情緒。超凡的筆法，不亞於畫中的豐富色彩，他以厚塗法呈現絲柏樹形態，再以畫筆二次上色，增添栩栩如生的質感；利用蜿蜒的線條與簡短的筆觸，增加樹木分量，加倍呈現畫面的深度。遍布整幅畫面的漩渦，讓人切實感受畫家猛烈的內心波動與滿腔的熱情，彷彿傾洩全身之力，畫下對生命的激情。

《絲柏樹與兩名女子》，1889／文森．梵谷
布面油畫，92×73cm，荷蘭奧特洛庫勒－慕勒博物館（Kröller-Müller Museum）

強風中兀自佇立，才能看遍人生風景

雖然亞爾這座避風港熟成了梵谷的性格，卻也成為悲劇的起點。梵谷在與往來甚密的畫家摯友——同住亞爾的高更，發生一次激烈爭執後，隨即返家割下自己的左耳，引起軒然大波。後來，因為幻覺與失序行為日漸嚴重，他被送進了精神病院。歷經漫長的痛苦折磨，梵谷在一八九〇年夏季，舉槍射向胸膛，企圖自殺。受了槍傷的他，苦苦煎熬了三天，向終生支持並贊助自己創作的弟弟西奧留下「痛苦永無止盡」一言後，與世長辭。

梵谷終其一生都艱辛地活在貧窮與痛苦之中，雖然年僅三十七歲便結束了坎坷人生，但他灌注滿滿熱情與真誠的畫作，迄今仍引發世人深刻的感動。迎著強風，毫無保留地晃動，彷彿快要倒塌般的絲柏樹，面臨一波接著一波的大風大浪，恰如你我的人生；任憑動盪不止，卻始終沒有倒下的姿態，也讓人想起了你我飽經滄桑的另外一面。

儘管窮愁潦倒，梵谷自始至終都沒有鬆開畫筆。他用澆不熄的熱情，拚了命讓絲柏樹搖擺晃動地活在自己的畫布裡，靜靜向世人宣告：動盪也是人生的一種美。

乘著動盪，而活。活著，是一種奇蹟，一種感動，也是一種悲哀。

Epilogue

哪怕只是一絲薄弱的希望之弦

有名女子癱坐在朦朧迷霧之中。她彎著腰，好不容易才在看似滑溜的地球上抓穩重心，景象好不驚險。瘦弱的身軀、沾滿污垢的雙腳，加上渾身傷痕累累的模樣，赤裸裸地呈現了女子如何走過遍布荊棘的人生；被白絲巾覆蓋的雙眼，完全看不見前方。女子唯一能做的，是憑藉指尖的觸覺與聆聽聲響的雙耳，演奏里拉琴。左手緊握琴身，右手小心翼翼地撥弄琴弦，然而，和女子堅韌心境截然相反的脆弱琴弦，僅剩一根，且隨時都有斷裂的危機。不曉得是否知情的女子，反而更加專注於演奏。

置身伸手不見五指的漆黑、灰濛濛世界，以及不見盡頭的恐懼中，單打獨鬥的她，處境絕望至極。在沒有任何事物可以掌握、依賴、期待、注視的狀態下，女子仍拚命演奏的模樣，更加令人心疼。然而，最諷刺的是，這幅畫的名稱是──《希望》（*Hope*）。「挫折」、「悲傷」之類的名稱，或許更適合這幅畫⋯⋯但畫家卻偏偏將其命名為「希望」。

《希望》，1886／喬治·佛瑞德里克·瓦茨
布面油畫，142×112cm，英國倫敦泰特不列顛美術館

英國維多利亞時代的畫家喬治．佛瑞德里克．瓦茨（George Frederic Watts, 1817-1904），在絕望中描繪希望。瓦茨創作此畫時，正值十九世紀末悲觀主義盛行時期，隨著工業革命帶來的急速都市化，踐踏人權的事件層出不窮，加以發生各種意外後，人們滿心皆是對死亡的恐慌、對未知的不安、對人生感到荒誕……瓦茨本身更因經歷了女兒所生幼子身亡的悲劇，歷經漫長的煎熬。

因此，儘管當代的評論家曾建議他將這幅畫命名為「絕望」，瓦茨直到最後仍沒有放棄「希望」。他曾在寫給當時女友波希．溫德罕的信件中提及，「藉由畫中僅存的一根琴弦依然能奏出樂曲的景象，暗喻希望的存在」、「人，即便身處絕望深淵，也絕不會放棄人生；即便只剩一絲希望，也會搏命存活」。

「畫中人遮掩雙眼，坐在地球上，用著僅餘一根弦的里拉琴，為聽見一點微弱的聲音，全力撥弄琴弦。我，是創作這般充滿希望繪畫的畫家。」

這就是畫家。「為了帶給人們希望」，是對於這與生俱來的繪畫天賦，最直接、也最困難的回饋。繪畫雖不會改變人生，卻像是擁有魔力般，賦予人們求生的意念；當面對生不如死的處境時，繪畫給我們的答案永遠都是——活下去。如果無法使人有動力繼續生存，再華麗的畫也沒有意義。正如作品完成的剎那，這幅畫便不再為畫家所有，而是由我們所有人共有一樣，自畫家停下畫筆的瞬間，其所傳遞的希望，即遍及世界每一個角落。

「藉由這幅畫，帶給更多人希望。」應該就是瓦茨想傳達的訊息吧！幾年前辭世的南非共和國首位黑人總統、也是人權鬥士的納爾森．曼德拉（Nelson Mandela），在羅賓島度過漫長的牢獄生涯時，曾在漆黑的牢房牆壁掛上《希望》，反覆注視無數次，這則軼聞使此畫更加聲名大噪。以愛麗絲．霍桑（Alice Hawthorne）為筆名的美國知名作曲家賽普提姆斯．溫納（Septimus Winner），也因深受這幅畫感動，而創作了歌曲《微聲盼望》（*Whispering Hope*）。美國總統歐巴馬在其自傳《歐巴馬的夢想之路——以父之名》（*Dreams from My Father: A Story of Race and Inheritance*）中，則如此形容這件作品——「透過一幅畫，讓所有人知道希望的曙光往往面臨熄滅危機」、「從直到最後一刻，仍努力想要奏出悠揚旋律的女子身上，見到了熾熱希望」。

恰似瓦茨的作品如實描繪了寸步難行的艱困處境，以傳達「絕望中的希望」，此時此刻你我最需要的信仰，或許正是相信「希望的存在」。無論情況再怎麼惡劣，也一定存在著希望。「希望」一詞之所以存在，不就是因為確實存在「希望」嗎？就像牢牢握緊最後一絲琴弦、竭盡全力苦撐的女子，哪怕只是一絲薄弱的希望之弦，也千萬不要鬆手，哪怕琴弦發出的聲響多麼微小，也一定要堅持下去。因為，這或許是我們僅有的一切了……

每當想放開希望之弦時，我便會想起畫中女子，然後默默覆誦這段話：「千萬不要放手！奇蹟說不定已在兩秒前發生。」

心靈方舟 008

安慰我的畫

——41個名畫故事，在人生疲憊時感受撫慰、得到釋放、汲取力量

作者 | 禹智賢　譯者 | 王品涵
美術設計 | 比比司設計工作室　責任編輯 | 郭玢玢　協力編輯 | 樸明潔

副總編輯 | 郭玢玢　總編輯 | 林淑雯
社長 | 郭重興　發行人兼出版總監 | 曾大福
出版者 | 方舟文化出版
發行 | 遠足文化事業股份有限公司　231 新北市新店區民權路 108-2 號 9 樓
電話 |（02）2218-1417　傳真 |（02）8667-1851
劃撥帳號 | 19504465　戶名 | 遠足文化事業股份有限公司
客服專線 | 0800-221-029　E-MAIL | service@bookrep.com.tw　網站 | www.bookrep.com.tw
印製 | 通南彩印股份有限公司　電話 |（02）2221-3532　法律顧問 | 華洋法律事務所 蘇文生律師

定價 | 360 元　初版一刷 | 2017 年 3 月

缺頁或裝訂錯誤請寄回本社更換。
歡迎團體訂購，另有優惠，請洽業務部（02）22181417#1124

國家圖書館出版品預行編目（CIP）資料

安慰我的畫 / 禹智賢著；王品涵譯 .
-- 初版 . -- 新北市：方舟文化出版：遠足文化發行 , 2017.03
面；　公分 . --（心靈方舟；8）

ISBN 978-986-93955-2-6（平裝）

1. 人生哲學　2. 生活指導

191.9　106000888